GW00385269

Déjà paru

Buvard – la brune, 2014, Babel n° 1358, 2016
(prix Françoise Sagan 2014, prix Edmée de La Rochefoucauld 2014,
prix du Roman de la ville de Carhaix 2014, prix Vauban 2015,
prix René-Fallet 2014)

L'auteur remercie la fondation Jean-Luc Lagardère
d'avoir soutenu l'écriture de ce roman par l'attribution de la bourse Écrivain 2014.

Graphisme de couverture : Olivier Douzou
Photographie de couverture : © Emily Ings/Millenium Images, UK

www.lerouergue.com

Julia Kerninon

br

le dernier amour d'Attila Kiss

la brune au rouergue

Pour A.

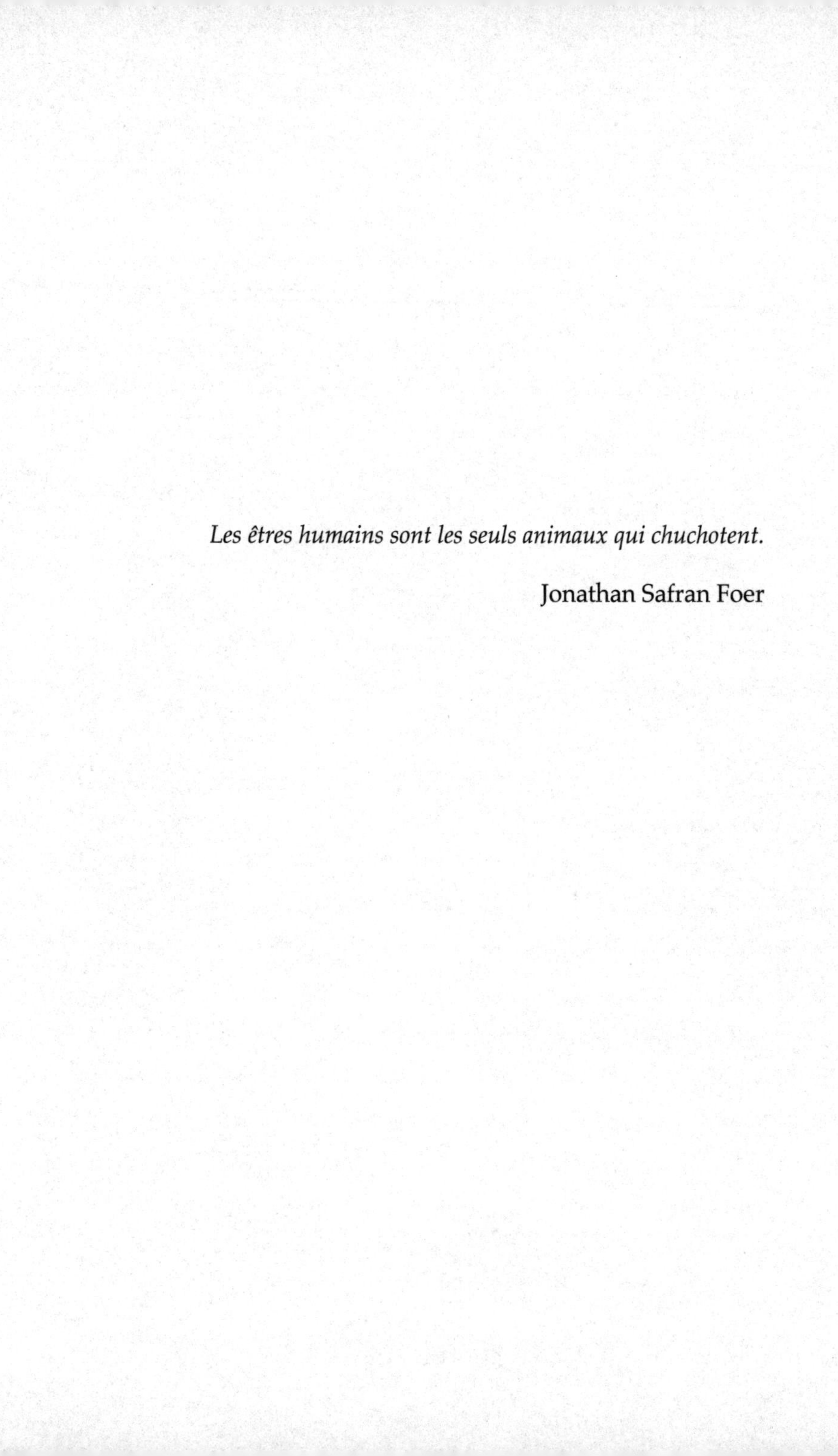

Les êtres humains sont les seuls animaux qui chuchotent.

Jonathan Safran Foer

Budapest, 2007-2008.

Au début, il la vit comme une Apache à la peau claire, mi-conquérante mi-fugitive, parce qu'elle était venue s'asseoir à sa table avec cette assurance déroutante – et puis, lorsqu'elle commença à parler, le premier soir, il discerna la fille en elle, non pas l'enfant mais l'*infante*, la descendante, la dernière d'une lignée, portant sur sa tête quelque chose de très lourd qu'elle ne pouvait ni voir, ni toucher. Après, il découvrit la guerrière, l'orpheline, qui amenait avec elle l'amante merveilleuse aux yeux grands ouverts, et il fut séduit. Soulevant une à une les couches sédimentaires qui la recouvraient, la protégeaient, lentement il vit se dessiner l'héritière d'une fortune et d'un nom séculaires, avec ses failles et ses pics escarpés, ses habitudes cosmopolites – il vit la Habsbourg, la Viennoise, l'oppresseuse, celle qui avait grandi dans la brûlure de l'or, et il la détesta, il la craignit, il voulut sa mort pour toute la tristesse atavique qu'elle réveillait en lui qui était hongrois et démuni – et puis en l'espace d'un instant tout s'additionna et sembla ruisseler entre ses mains, et il se retrouva face à l'animal sauvage qu'elle était sans doute au fond, la fille enragée de musique, la personne qui essayait désespérément de grandir, celle qui croyait aux lendemains, l'étrangère qui serait son dernier amour.

Peut-être, lorsque nous prononçons les mots *histoire d'amour*, croyons-nous désigner ainsi la qualité romanesque de nos affections, la façon dont nous pouvons les réduire a posteriori à la banalité d'un récit – mais nous oublions alors que l'autre sens du mot *histoire* signifie *archive, mémoire*, rappelant que les passions ne sont pas seulement des fables, mais d'abord une succession de guerres gagnées et perdues, de territoires conquis, annexés, puis brûlés, de frontières sans cesse réagencées. En réalité, l'histoire d'un amour repose sur les défaillances et les concessions, les enclaves protégées, les coups d'État, les caresses, les victoires, les amnisties, les biscuits de survie, la température extérieure, les boycotts, les alliances, les revanches, les mutineries, les tempêtes, les ciels dégagés, la mousson, les paysages, les ponts, les fleuves, les collines, les exécutions exemplaires, l'optimisme, les remises de médailles, les guerres de tranchées, les guerres éclairs, les réconciliations, les guerres froides, les bonnes paix et les mauvaises, les défilés victorieux, la chance et la géographie. Lorsque deux individus se rencontrent et cherchent à entrer en contact jusqu'à se fondre, cela commence toujours comme commence une guerre – par la considération des forces en présence.

Ce livre est l'histoire d'un amour – la plus petite de toutes les histoires – l'histoire du dernier amour d'Attila Kiss. Parce que c'est une chose de déposer les armes, dans un mouvement superbe de tapage et de dévotion, mais c'en est une autre que d'accepter à partir de cet instant de se vivre comme perpétuellement désarmé.

Ma vie privée, c'est ma vie privée de tout

Après l'échec de son mariage, l'année de ses quarante ans, Attila Kiss avait passé plusieurs mois dans la Puszta, un endroit dont le nom dans sa langue évoquait le dénuement absolu. Quoique ce terme ne désigne plus aujourd'hui que l'espace circonscrit d'un parc national enregistré au patrimoine mondial, lorsqu'il y vivait, la Puszta était encore simplement la partie la plus plate de la Grande Plaine hongroise richement irriguée où son peuple avait élevé du bétail pendant plus de deux mille ans, avant que le gouvernement ne décide de subventionner massivement le contrôle des berges de la rivière Tisza, entraînant la disparition des élevages légendaires de bœufs et de chevaux au profit de l'agriculture.

Production de fruits. Pommes, poires, pèches, raisins et abricots. Céréales – plus de la moitié de la surface cultivée. Maïs, blé, pavot, lin. Grandes moissons. Forêts de sapins, de hêtres, de saules. Le pays mesurait quatre-vingt-treize mille kilomètres carrés, et de cet espace Attila n'était jamais sorti. Autrefois, il y a très longtemps, il y avait eu ici une mer qui s'était asséchée, laissant place à un immense bassin sédimentaire qui, pendant des siècles, forma à peu de chose près les limites du royaume. Mais ce temps était passé et le royaume avait été réduit guerre après guerre à un simple État de taille moyenne, clos à l'ouest par les derniers contreforts des Alpes, au nord et à l'est par l'arc des Carpates, et au sud par les Balkans. Bien qu'étant né à Budapest, et ignorant presque tout de ce qui pouvait se trouver à l'extérieur de la capitale, à l'exception des aires de repos installées le long de l'autoroute du Sud menant au lac Balaton, où, comme bon nombre de ses concitoyens, il s'était rendu quelques fois en villégiature, Attila avait une nuit jeté éparses ses rares possessions dans le coffre d'une voiture volée à son ex-beau-père avant de prendre la route en direction du nord-est, vers la plaine, vers le vide, pour rejoindre un de ses cousins, Arpàd, qui lui avait offert un poste temporaire de peintre en bâtiment le temps qu'il se *refasse*. C'était le terme employé par Arpàd au téléphone, et Attila l'avait bien compris, venant d'un homme solide dont c'était exactement la profession de faire, refaire, défaire des constructions – on allait le refaire, lui, à présent, même si les lignes pures de la moindre baraque aperçue à l'horizon semblaient n'être là que pour lui rappeler à quel point il était et avait toujours été instable.

Sa première erreur, vingt ans plus tôt, avait été de faire affaire avec le père de sa jeune épouse, un homme puissant au caractère incohérent. À dix-neuf ans, Attila était tombé profondément amoureux de cette jeune fille souriante qui venait acheter des gâteaux dans le salon de thé où il était pâtissier, et il avait ensuite été tellement heureusement surpris d'être accepté par sa famille que l'enchantement de l'amour s'était, comme par rayonnement, étendu à tout ce qui entourait Alma, et lorsque quelque temps après la noce, Bela, son beau-père, vint lui proposer de quitter son emploi pour travailler avec lui, il fut incapable de discerner le danger, et accepta.

Né quelque part à la fin des années 1910, fils d'une Tzigane et d'un père inconnu, Bela avait été formé par ses oncles maternels aux subtilités retorses de la vente de chevaux dans les marchés de province, puis il avait officié comme cuisinier sur le front, avant de monter à la capitale où il avait fondé une famille et tenu quelques années un magasin clandestin de rachat d'or. C'était un homme gros, dur, admiré, pour qui le commerce était une forme d'art mineure se pratiquant avec les moyens du bord et qui, comme toute forme d'art, ne tolérait ni la demi-mesure ni la pudeur. Dans un pays commençant tout juste à s'ouvrir au libéralisme, il avait plusieurs crans d'avance, et, fort des relations qu'il avait nouées durant la guerre, il avait amorcé une véritable escalade du système par le biais d'un entrepreneuriat sans scrupule. Animaux, clous, chaussures, passeports, aunes d'étoffe, plans de cadastre, haricots, raki, blé, dentelle, poignées de portes, outils – il vendait tout, en fonction des périodes et des pénuries, récupérant des lots tombés du camion, soudoyant des officiels, des magasiniers, des employés avides et mécontents. Comme il l'expliqua à Attila, que l'on choisisse de voler des tableaux de maître ou des pneus, l'important demeure toujours le même : savoir bien en amont à qui l'on va revendre son butin. Pas de risques inutiles, mais une gestion de stocks en flux tendu, et le gain comme seul cœur de cible. Après le mariage, Attila était venu rejoindre Alma dans l'appartement familial, dormant avec elle dans une grande chambre accolée au salon, mangeant à heures fixes avec ses parents, et ce qu'il faisait exactement dans le cadre de sa collaboration avec Bela était difficile à circonscrire – il pouvait s'agir de conduire une voiture et d'en décharger le contenu à une adresse indiquée sur un petit bout de papier sans parler à quiconque, ou partir livrer en pleine nuit un colis ficelé, déposer des lettres, faire l'inventaire de la réserve d'une papeterie ou d'un magasin de luminaires, mais aussi, parfois, venir accompagné d'autres hommes de main de Bela et entourer le responsable d'une scierie aux abords de la ville pour le convaincre de céder sa marchandise à bas prix. Tout cela, il avait honte à présent de l'admettre, il l'avait accompli pendant des années sans soulever de réelles objections, heureux de participer à l'effort commun des dépenses de la maison, d'assurer son mariage, de satisfaire aux exigences de son beau-père, de tenir gracieusement son rôle de gendre. *L'argent*, lui répétait

Bela le soir en lui servant de petits verres d'eau-de-vie, *crois-moi, il n'y a que les imbéciles pour penser qu'on ne puisse pas en trouver sous le sabot d'un cheval – il y en sous les pieds des chevaux comme il y en a partout, pourvu qu'on sache le chercher, le trouver et le mettre dans sa poche*. Quoique cette théorie se soit révélée parfaitement exacte dans la pratique, ce n'était pas tant l'argent qui intéressait Attila que l'intensité de cette activité, sa diversité, les rendez-vous nocturnes, les démarrages en trombe, le contact avec les matières, les cases à cocher sur un carnet, le poids des métaux dans ses mains, la vision des étagères remplies, chargées, ployant sous les marchandises, les sourires aurifiés des intermédiaires, le contact avec les hommes dans de petits cafés en sous-sol, la réalité limpide de tout cela. Son travail était une suite de mouvements dont la cohérence lui échappait, il ne voyait que l'action, la frénésie, qui lui rappelaient agréablement les exigences de la pâtisserie, la vivacité et la précision qu'il fallait pour livrer un gâteau de mariage compliqué en temps et en heure. Couper des pommes en tranches et couper court à une conversation au moment où seul le poids du silence la ferait basculer du bon côté. Saupoudrer la pâte de graines de pavot et arroser de billets les représentants municipaux quand il le fallait. Rouler les fruits secs dans le sucre et les gens dans la farine. Imperceptiblement, sa vie avait dévié de son cours, comme un fleuve, mais tout le temps pendant ses déplacements, il ne pensait qu'au beau visage en forme de cœur d'Alma et il ne voyait rien, pris en étau entre l'urgence de ses courses quotidiennes à travers la ville et la chaleur de son lit dans un quartier résidentiel de Buda, derrière les collines.

À quel moment tout cela avait commencé à déraper, ce serait difficile de le dire – mais petit à petit ce qui n'avait été au départ qu'un travail avait pris trop de place. En vieillissant, Bela s'était fait tyrannique, et lorsque le chef du Comité central, Miklos Nemeth, avait amorcé un mouvement de privatisation nationale risquant de mettre en péril l'empire dérisoire qu'il avait construit, les disputes s'étaient multipliées, Attila avait commencé à ouvrir les yeux et à s'interroger sur le sens de ce braconnage mercantile auquel il prêtait sa tête et ses épaules depuis plus de dix ans. Au même moment, à peu près, Alma avait perdu un enfant à la naissance après plusieurs fausses couches, et ce dernier échec la fit plonger dans un silence écrasant. Elle devint absente, et Attila, si l'on peut dire, dessaoula brutalement. Alma avait été le miel qui faisait tenir ensemble les ingrédients discutables de sa vie, mais soudain il ne vit plus que les contraintes, les nuits blanches, la violence, la servitude obligée, il ne supporta plus de vivre chez l'homme pour qui il travaillait, de devoir endurer ses plaisanteries de mauvais goût, son charisme oppressant, ses ordres permanents auxquels il ne pouvait s'opposer de peur de tout perdre. Il n'avait pas de contrat avec Bela, évidemment. Il ne pouvait pas s'éloigner de son orbite sans provoquer de rupture, il avait peu de liquidités, peu de relations, excepté ses compagnons d'expédition, des brutes gagnées à la cause de Bela qui le soupçonnaient, en sa qualité de gendre, de disposer de privilèges qui n'existaient pas. Et même s'il avait réussi, miraculeusement, à opérer la séparation, à déménager son mariage abîmé dans un autre quartier de la ville, dans une autre région, il ne savait pas ce qu'il aurait pu faire. Année après année, il avait oublié la science exacte de la pâtisserie. Il avait cru apprendre beaucoup aux côtés de Bela, mais à présent il voyait bien qu'en réalité il n'avait étudié qu'à l'université de la tricherie et de la contrebande. Il craignait d'être dénoncé en partant, et de toute façon il n'aurait pas pu travailler et laisser Alma seule à la maison dans l'état où elle s'enfonçait lentement, il n'avait pas le temps de prendre soin d'elle, il ignorait comment, il était piégé. Il avait trente et un ans.

Dans sa panique, il perdit pied, oublia des livraisons, provoqua des disputes houleuses, prononça des phrases qui ne doivent jamais être prononcées, détourna de l'argent au cours de ses missions sans bien savoir exactement dans quel but il le faisait. Dans l'appartement de Buda, l'atmosphère devint électrique, le simple son de la voix de Bela lui donnait envie de lui casser de la porcelaine sur la tête, de hurler, de réclamer sa liberté, sa jeunesse perdue à attendre à des coins de rues au bénéfice d'un opportuniste, mais il était lié à cette femme qui était la femme très aimée de sa jeunesse, il ne voulait pas la perdre, elle devenait folle et il ignorait ce qu'il fallait faire.

Neuf années supplémentaires passèrent comme ça, durant lesquelles, déchiré, perdu, fébrile, il fit beaucoup d'erreurs, impliquant plusieurs tonnes de céréales ou des kilomètres de rails, des erreurs de logique, des erreurs d'horaires, qui auraient pu tous les précipiter en prison – pourtant, sa dernière erreur en date, suffisamment colossale pour surclasser toutes les autres jusqu'à les effacer, tenait dans une paume et ne pesait rien. C'était une chaussette de bébé, brodée du prénom de l'une des trois filles qu'il avait eues hors mariage avec la serveuse du café où il avait pris l'habitude de se réfugier pour échapper au tumulte de sa vie – une chaussette minuscule, en laine douce, que pendant plusieurs années il avait astucieusement su faire passer d'une poche à une autre, sans jamais oublier de la cacher avant de déposer ses vêtements dans le panier à linge – jusqu'au jour où il avait oublié.

C'était la raison pour laquelle, à présent dans l'attente d'un divorce qui ne tarderait pas, Attila se retrouvait également sans emploi. Il était parvenu à sauvegarder une partie de ses économies clandestines, et il avait dérobé la voiture pour faire bonne mesure – il craignait vaguement les représailles de Bela, mais à la fin son intuition lui disait que celui-ci était trop un pirate lui-même pour porter plainte dans un cas comme celui-là, et il avait raison. Ce dont il avait besoin le plus urgemment désormais, c'était d'une nouvelle occupation intense, épuisante, qui lui permette d'oublier ce qu'il venait de traverser, quoiqu'il ne nia pas la part de responsabilité qui était la sienne.

À mi-chemin de sa route vers la Puszta, il s'était arrêté au bord de la rivière pour déjeuner d'un petit pain et d'une Thermos de thé. Les yeux perdus dans l'eau ondoyante, il s'était étonné de se rappeler que la Tisza avait autrefois porté le surnom de « Rivière la plus hongroise », parce qu'elle déroulait l'intégralité de son cours dans ce seul pays – pourtant, à présent, elle traversait plusieurs frontières nationales.

Une légende voulait que le corps du premier Attila, le roi des Huns, ait été enterré quelque part sous un segment détourné de la rivière, dans un triple cercueil d'or, d'argent et de fer, après qu'il se fut étouffé dans son propre sang le jour de ses noces. Les hommes qui avaient creusé la tombe, disait l'histoire, avaient ensuite été tués afin que la localisation exacte en demeure secrète. *Des frontières, nous en avons plus qu'assez, mais des limites, aucune,* avait pensé Attila Kiss avant de remonter dans sa voiture.

Dans la Puszta, le travail n'était pas compliqué. Il s'agissait de repeindre des bâtiments de ferme, une tâche qu'Attila n'avait jamais accomplie en quarante ans d'existence sur terre mais à laquelle il s'attela aussitôt son pied posé hors de la voiture. Vêtu d'une salopette bleue, du haut de la grande échelle, il contempla son pays conquis des dizaines de fois, traversé, disputé, ravagé, il écouta attentivement le vide sourd de la steppe autour de lui, qui était aussi le vide de sa nouvelle vie. Il peignait, de haut en bas et de bas en haut, il lavait cette grange pourrie avec de la couleur vive comme s'il s'était agi de sa propre tête, et c'est là que tout à coup il avait senti, comme s'il la sentait pour la première fois, cette odeur entêtante de la peinture, toxique, onctueuse, rabattue par le vent dans ses poumons, qui ramenait mystérieusement avec elle le souvenir de ses dix-sept ans à la station-service de la route menant à Siofok, deux mois d'été à vendre des bonbons et des pneus à des vacanciers égarés. *Mais moins que moi*, pensait-il, *moins égarés que moi à cette époque où j'étais ignorant encore de tout ce qui m'arriverait par la suite* – connaître cette épiphanie de la peinture, à quarante ans, vivre dans la campagne comme un damné, à présent que tout était arrivé et qu'il ne voyait pas d'autre issue à sa vie que la dernière planche peinte de cette grange isolée. Il s'était demandé : *Mais qu'est-ce que j'aime, au juste, dans cette odeur ?* Et puis, immédiatement après, beaucoup plus douloureusement : *Qu'est-ce que j'aime ?*

Cet été-là, estimerait-il plus tard, *à part la peinture, je n'aimais plus rien, et personne ne m'aimait.*

Il avait été une catastrophe, il avait échoué dans les choses les plus essentielles, les plus considérables. Pourtant, toutes ces dernières années insensées, passées à mentir à Alma par omission si souvent qu'avec le recul il se demandait s'il avait réellement prononcé un mot en sa présence durant ce temps, des années entières à mentir à tout le monde, à louvoyer sans cesse, il ne s'était pas senti coupable – il s'était senti vivant. Il y avait une ivresse dans son excès, c'était un homme qui aimait l'abondance, la gageure, l'adversité, le risque, la vitesse, surtout. Mari, amant, père, contrebandier, adultère, gendre, menteur, virevoltant, débordant de vie, utilisant chaque gramme de l'énergie qui lui avait été accordée en partage, se dépensant à fond, ne gardant rien en réserve, courant sans s'arrêter, debout dans son corps, fidèle à quelque chose d'obscur, répondant de la meilleure façon à la fièvre qui le gouvernait, se montrant digne de son destin. Il aurait voulu ne jamais avoir humilié Alma, ne jamais avoir laissé naître des enfants dans une situation aussi compliquée, mais c'était arrivé, et peut-être était-ce au fond simplement le danger ou la stupidité de ses propres actions qui l'avaient fait vibrer. Personne ne le savait, mais il y avait eu d'autres femmes, une dizaine peut-être, serveuses, vendeuses de cigarettes ou de fleurs, blanchisseuses – femmes avec des cicatrices de césariennes, femmes avec des bracelets de chevilles, femmes sans prénoms au creux desquelles il avait à son insu enterré son mariage en même temps que son anxiété grandissante. Et il se rappelait aussi de cet après-midi, quelques mois plus tôt, être resté à épier derrière un rideau au café Lukacz avec sa troisième fille, Tessza, dans les bras, à attendre qu'Alma finisse de parler avec une de ses amies debout sur le trottoir pour pouvoir s'en aller sans qu'elle le voie, et de cette émotion mitigée, la honte de se cacher, la fierté d'être au café où tout le monde pouvait voir son bébé, où les serveurs en uniforme noir et blanc lui faisaient des sourires qui pour un instant effaçaient la complication de cette situation emmêlée – c'était peut-être la première fois qu'il était seul avec la petite fille, et elle ne s'en souviendrait jamais, cela serait recouvert par tout ce qu'Attila avait fait ou laissé faire qui avait causé le fait qu'il ne pouvait plus être son père, ni celui de ses sœurs, ni celui de personne. Lui seulement se souvenait de cette vie déchirante, impossible, où il avait essayé en vain de faire de son mieux, avec le peu de forces qui lui restait, et où, le soir, lorsqu'il était à table avec Alma et ses parents, il pensait à ses trois enfants dormant dans leurs petits lits auprès de leur mère, à cet espace protégé, loin de Bela, hors de sa portée de malheur. La mère de ses filles était une jeune campagnarde timide, au vocabulaire limité, mêlant parfois encore quelques bribes de dialecte csángó à ses paroles, avant de s'excuser avec une main posée devant ses dents cassées. Attila était incapable de dire ce qui l'avait attiré chez elle au départ, ni pourquoi, après la naissance du premier bébé, il n'avait pas pris ses précautions, mais il l'avait aimée, elle aussi, en même temps qu'il aimait Alma, il avait vécu cette passion minuscule avec Irisz. En moins de cinq ans, il avait eu trois enfants d'elle. Entre deux missions pour Bela, il montait l'escalier menant à l'appartement sous les toits où elle vivait avec les filles, il s'asseyait à la petite table de bois et reprenait son souffle dans les odeurs aigres-douces des bébés. Irisz ne lui demandait jamais rien, et le temps d'un thé avec elle, il se sentait presque bien. Pourtant, à présent qu'il était libre, comme on est libre seulement lorsqu'on n'a plus rien, il savait qu'il ne pourrait pas davantage venir vivre avec sa seconde famille qu'être pardonné par la première. Tout était fini. Ces choses n'avaient eu de sens qu'à travers l'équilibre précaire qu'il avait cru établir entre elles, mais désormais il devait s'en tenir éloigné à tout prix. Honteusement, il avait la bonne sensation d'avoir tout juste refermé une porte sur une pièce pleine de bruit.

La tristesse – la tristesse vint plus tard, et elle fut rude, pesante, bouleversante, elle le rendit muet, il passa des nuits cloué dans l'herbe où il dormait à la belle étoile avec les autres peintres et les menuisiers pour éviter la chaleur étouffante du dortoir, des nuits entières à revoir ce qu'il avait perdu, puisque comme nous le savons presque tous, c'est seulement à l'instant où nous perdons une chose que nous apprenons son prix exact. Il se trouva seul à pleurer dans l'immense espace qu'il avait lui-même dépeuplé, plus seul que jamais auparavant, sans maison, sans femmes, sans enfants, seul au monde dans la grande plaine. *Disons-le autrement,* pensa-t-il quand il parvint à reprendre le dessus sur ses sanglots, en se rappelant que c'est d'abord la langue qui cisèle la réalité. *Disons que je ne suis pas perdu, ni seul, mais que je suis à présent simplifié. Simplifié.* Ce fut le seul mot qu'il trouva alors pour envelopper sa tristesse comme une brassée d'outils meurtriers dans une couverture, et la cacher à sa vue. Et parce que même ravagé, même blessé à mort, il restait la même personne irrémédiablement farouche, le désespoir ne trouva jamais sur lui d'endroit où se poser, et Attila aima la simplicité avec la même ferveur qu'il avait aimé les complications. Il y avait une ferme à côté du chantier, et quand l'homme qui s'en occupait l'emmena dans la bergerie pour lui faire toucher les cornes d'un chevreau, à peine sensibles sous la peau, émouvantes, il décida de croire qu'il lui restait des choses à vivre, et qu'il était encore peut-être un peu trop tôt pour mourir.

L'automne vint, puis l'hiver. En une nuit de novembre, la température chuta de douze degrés, et sa mission achevée, Attila reprit la route dans sa voiture glaciale. Arrivé à Budapest, il loua un petit appartement meublé sur cour, trois pièces en enfilade dans la Fecske utca. À peine installé, il sortit acheter de la peinture – par superstition, peut-être, pour garder encore un peu avec lui la force et le réconfort qu'il avait trouvés dans la Puszta. Il lui fallut plusieurs allers-retours pour monter les différents pots et pinceaux jusqu'à son quatrième étage, et puis il se remit à peindre immédiatement. Au départ, par timidité, par humilité, il se contenta de décorer uniquement les murs et le bois des fenêtres, les plinthes, son lit et les étagères de la cuisine, reproduisant de mémoire les motifs traditionnels qu'il connaissait. Il peignit somptueusement le sol comme un tapis. Il n'avait jamais été aussi seul de sa vie. Il avait accumulé dans les premiers temps un stock de boîtes de conserve et de thé, et pendant un an, il fit ça seulement, de la peinture, enfermé dans sa nouvelle demeure silencieuse, fuyard, clandestin, il se noya dans la couleur et l'odeur puissante de la térébenthine. Le matin, il buvait son thé sur la coursive intérieure, et puis il rentrait peindre l'une après l'autre les toiles qu'il avait fini par oser acheter. Méthodiquement, il peignait ce qu'il n'avait plus, dans une tentative absurde de solder les comptes, de donner une forme à ses adieux – le beau visage serein d'Alma, serein jusqu'à la fin, malgré tout, les épaules rondes d'Irisz, les six pieds de ses enfants, pour ne pas peindre leurs visages, la route à travers le pare-brise, gravée dans sa mémoire après toutes les nuits où il l'avait fixée pour ne pas s'endormir, certains petits objets avec lesquels il avait vécu dans l'appartement de Buda, des piles de marchandises variées dans les différentes caves appartenant à Bela, et même Bela en personne, grandeur nature, reconnaissable au premier coup d'œil, et devant lequel il resta assis longtemps en se posant toutes sortes de questions sans réponses.

Ce fut le dernier tableau de cette série du passé. Petit à petit, il reprit des forces, et commença à peindre ce qui était là, ce qui ne serait jamais perdu, ce qui était tangible, le Danube gelé, les pigeons buvant dans les flaques à l'automne, les devantures des buffets chinois avec les photographies décolorées de chaque plat, les dos nus et solides des hommes qu'il croisait très occasionnellement lorsqu'il allait aux bains, la neige. Plus rien ne l'arrêtait, il aimait simplement l'odeur de la peinture et la sensation du pinceau au bout du poignet, le geste pour lisser la texture épaisse, la simplicité sidérante de pouvoir recouvrir un rectangle blanc, d'y faire apparaître ce qu'il voulait, de le faire encore et encore. Il entassait les toiles finies dans un coin du salon, il se faisait un monde. Il avait appris à mélanger ses couleurs lui-même. Il avait appris la perspective. Il avait appris l'échec.

Un matin, en prenant une boîte sur l'étagère, il remarqua que c'était la dernière. En une année, il avait dépensé tout l'argent qu'il avait gagné dans la plaine, tout ce qui restait de l'argent sale d'avant, il avait vendu la voiture depuis longtemps pour racheter du gesso Liquitex et des pinceaux – il en était là, quand en sortant dans la rue il avait appris qu'on cherchait du monde à la fabrique de foie gras.

Il fallut lui répéter deux fois l'intitulé du poste qui lui avait été attribué. *Trieur de poussins ?* demanda-t-il au contremaître qui s'occupait des candidatures. Le contremaître soupira. *On dit « poussins », mais ce sont des canetons, en fait. Et le terme exact pour toi, ce serait plutôt sexeur, mais en réalité, tu verras, c'est mieux d'y penser comme à du triage.* Attila avait arrêté de poser des questions. Tous les soirs ou presque à la même heure, à la Keleti Pályaudvar, la gare de l'Est, il prenait le train qui le conduisait en grande banlieue, et il descendait au terminus. Après, il fallait encore marcher à pied quelque temps, au bord d'une nationale, et rejoindre une route de gravillons qui menait à la fabrique. Là, il devait se changer dans le vestiaire, enfiler une blouse et un masque et fixer solidement sa lampe frontale, avant de pénétrer dans le hangar B, où il commençait sa nuit. Les poussins déferlaient sur sa table, pratiquement dans ses bras, vivants, grouillants, pleins de vie, et il devait déterminer, en les observant à la lueur hésitante de la lampe, lesquels étaient des mâles et lesquels ne l'étaient pas – parce que c'était cela qui décidait de leur destination. On ne peut pas faire de foie gras correct avec des poussins femelles, avait-il appris sans savoir quoi en penser. Lorsqu'il y était arrivé, l'équipe de la fabrique pratiquait le sexage au cloaque, un procédé délicat à maîtriser qui consistait à attraper l'animal et appuyer sur son abdomen pour faire la différence entre l'anatomie intime des mâles et des femelles, et il fallait avoir un œil entraîné, parce que le temps qui était attribué pour ça était de cinq secondes seulement, mais après quelques années, ils s'étaient mis à travailler sur des poussins autosexables, génétiquement modifiés pour être plus faciles à trier – quelqu'un quelque part avait croisé un canard de Barbarie avec un autre oiseau, et leur descendance étendue portait à présent un plumage immaculé et une tache unique, reconnaissable, sur le front. Attila prenait le poussin dans sa main et le tenait du mieux qu'il pouvait, c'était chaud et doux et le cœur battait contre son pouce pendant qu'il regardait avec attention, parce que si la marque était noire, c'était une femelle – si elle était brune, c'était un mâle. Il passait ses doigts dans les plumes douces une dernière fois et il lançait la bête un peu plus loin, selon son genre – les femelles sur un tapis roulant qui les conduisait à la broyeuse, les mâles dans un enclos où un collègue s'occupait de les boucler dans de petites cages de batterie individuelles où ils seraient gavés à la pompe pneumatique jusqu'à ce que leur foie décuple de taille, avant de les abattre juste avant la mort naturelle par stéatose. L'idée générale partait d'un mécanisme naturel – les canards étaient des oiseaux migrateurs et les oiseaux migrateurs possédaient une capacité innée à se gaver pour pouvoir affronter les longues distances de vol et le froid qui allait avec. *Zugunruhe*, c'était apparemment le mot allemand qui était traditionnellement utilisé dans ce domaine parce que c'était celui qui résumait le mieux la situation. On retrouvait *Zug*, le mouvement, accolé à *Unruhe*, l'anxiété – *Unruhe* étant, logiquement, le contraire de

Ruhe, le calme. Les statistiques nationales avançaient une production de plus de deux tonnes et demie par an sur l'ensemble du territoire. À la fabrique, une vie de canard se résumait à passer d'un hangar à un autre hangar, avec une régularité parfaite, jusqu'à l'issue finale qui était simplement la mort. *Ici comme ailleurs*, pensait Attila. Ils naissaient dans un couvoir du hangar A, au chaud dans des armoires à incubation. (Aux beaux jours, le syndicat de l'usine montait deux équipes de foot, et ceux qui le voulaient pouvaient venir en avance le lundi soir, pour jouer dans le brouillard sur le terrain de derrière, d'où on voyait les conteneurs débordant de grosses coquilles d'œufs et de plumes.) Après quoi, on les leur livrait pour le tri sur un tapis roulant, dans le hangar B, comme pour la pêche aux canards au Vidámpark, comme à la foire en plus poignant. Après leur passage dans le hangar C, où ils grandissaient avant d'être gavés – d'abord dix jours de prégavage, à l'herbe, puis quinze de gavage tout court au pistolet pneumatique – Attila vit un jour les mouvements de fouet que les canards faisaient avec leur cou pour essayer de faire ressortir la nourriture – après, ils passaient au hangar D, où ils étaient électrocutés, le terme précis étant : mort par électronarcose. Dans la réalité, les canards battaient des ailes, et puis ils ne le faisaient plus. Mais quand on les saignait – aux carotides, sous la langue – il pouvait tout de même arriver qu'ils se réveillent un peu, avant de passer dans le hangar E. Là, ils étaient plumés, puis éventrés – au premier coup de couteau, il y avait des grains de maïs encore entiers qui s'éparpillaient, la ration de la journée pas encore digérée, et il fallait les ramasser avec une pelle. Il y avait le hangar F, où les canards défilaient pendus à une chaîne mécanique parallèle au plafond, pendus par un crochet dans les narines, livrés à demi-morts à l'équipe des dépiauteurs, ils étaient dépecés, avec leur ventre qui pointait comme un abcès. À cet endroit, il y avait un bruit de scie électrique qu'Attila ne parvenait pas bien à s'expliquer. Et enfin il y avait le hangar G, la cuisine et la conserverie, là où le foie gras était assaisonné, grillé, mis en verrines, qui étaient étiquetées puis rangées dans des caisses en bois pour être livrées, capitonnées de sciure et clouées. *Comme c'est étrange,* pensait Attila, *ce que la vie nous fait, où elle nous emporte et nous dépose, perdus quelque part entre l'irréparable et l'insaisissable. Moi, ici – et Hitler aperçu six ans après son suicide dans une cafétéria à Miami.*

Quand il rentrait de l'usine par le train du matin, il restait boire une tasse de café à la gare, et il jouait quelques coups d'une partie d'échecs sur le bloc de béton du quai numéro un avec un clochard que ça rendait fou qu'il parte avant de savoir qui avait gagné. *Mais c'est parce qu'il ne sait pas ce que moi je sais,* estimait Attila en s'éloignant sous ses injures, *et qui est que tout le monde a perdu, que nous avons tous perdu, irrémédiablement et pour toujours. Il suffit de regarder.* Sur la route du retour, il croisait de jeunes touristes venus explorer sa ville, enterrements de vies de garçons, lunes de miel, un flot dense de jeunes Occidentaux débarqués en vacances à la recherche de l'authentique, avec leurs back-packs et leurs bouteilles d'eau minérale en plastique. *Moi et les miens,* pensait Attila, *n'avons pas d'origines précises – hordes éparses sédentarisées, barbares repoussés de la Chine du Nord, sauvages du Caucase, tous arrivés ici par accident, déracinés – mais autrefois nous défendions ce territoire avec plus d'âpreté encore que s'il nous rappelait réellement quelque chose. Lorsque l'une de nos reines a plié la couronne royale en voulant la sauver, nous ne l'avons jamais réparée. Nous, nous n'allons pas en vacances chez les autres, parce que notre pays, c'est le monde en miniature – la grande ville, le vide sidérant autour, et puis le lac. Pierre, eau, terre, il y a si peu – on ne plaisante pas avec ça. Nous parlons peu, mais tout est dit. Nous nous battions autrefois, mais à présent tout est dit.* Budapest, sa ville de naissance, avait été cent ans plus tôt un lieu splendide, avec ses hôtels et ses cafés dorés où se réunissaient les écrivains, et toute une économie clandestine pour les soutenir – encre, plume et papier déposés sur leur table dès qu'ils passaient la porte, menue monnaie glissée dans leurs poches par des maîtres d'hôtel impeccables – mais les maîtres d'hôtel avaient désormais été remplacés par des baristi servant des cocktails compliqués aux voyageurs étrangers, on avait apposé des plaques commémoratives sur les façades de l'ancien ghetto, la Maison de la terreur était devenue un musée équipé d'audioguides, et tout ce qui avait compté autrefois semblait avoir disparu dans le vide. *Une oasis pour touristes occidentaux,* pensait Attila tous les jours en rentrant chez lui, *voilà ce que nous sommes devenus – nos pâtisseries, nos bains, nos femmes, tout s'incline devant l'or de l'Ouest. Collines de roses plantées pour Soliman le Magnifique, et à présent, en lieu et place de conquérants, des touristes hystériques se jetant dans nos thermes comme des beignets dans l'huile chaude. Nous, par loyauté, par abrutissement, par amour de la beauté, on en est encore à arroser les roses du tyran – et eux, nos visiteurs, qui devraient être nos obligés dès lors qu'ils posent un pied ici, ils éclaboussent sans dignité comme s'ils étaient seuls sur terre. Car à celui qui a, il sera donné, et il sera dans l'abondance, mais celui qui n'a rien – même ce qu'il n'a pas lui sera retiré.*

Il aurait voulu pouvoir le dire à quelqu'un, il essayait de le leur dire à eux, aux touristes, dans sa langue maternelle qu'aucun ne comprenait, quand ils lui demandaient leur chemin, il répondait : *Mais enfin, je ne peux pas vous répondre. Je vous déteste. Comme tous les miens, je vous déteste. Je veux que vous rentriez chez vous et que vous nous laissiez ce qui n'est qu'à nous, la seule chose qui nous reste – Budapest. Cinq cent vingt-cinq kilomètres carrés, ce n'est pas beaucoup demander, après tout. S'en tenir en dehors. Ne pas y mettre les pieds. Ne pas prendre de photos avec un appareil jetable et des poses où vous vous débrouillez pour donner l'impression que vous tenez la coupole de Blaha Lujza dans votre main. Vous ne tenez rien dans votre main. Vous ne saisissez pas. Vous êtes chez nous, et vous n'êtes pas les bienvenus. Vous rentrez dans vos pays et vous ne savez même pas ce que vous avez vu. Alors ne venez pas. Ne venez plus jamais ici. Arrêtez les frais, maintenant. Restez chez vous comme nous restons chez nous comme on reste au chevet des morts.*

Il y avait à présent presque dix ans qu'il travaillait à la fabrique. C'était comme s'il n'avait pas bougé d'un cil. *Je me tiens immobile pour la photo que personne ne prendra,* pensait-il parfois avec amertume. La nuit, il triait des poussins, et dans la journée, il faisait de la peinture. De toutes les choses qu'il avait perdues en cinquante et un ans, le sommeil n'était pas la plus importante. Il n'avait pas revu ses filles depuis sa fuite, ni personne. Il restait dans cet appartement qui était le premier où il eut jamais vécu seul, il peignait en mangeant des haricots au paprika et il travaillait la nuit à la fabrique. Parfois, il allait à la bibliothèque Ervin Szabó emprunter des livres d'histoire – *parce que je ne parvenais pas à envisager le futur,* comprendrait-il plus tard. *J'avais besoin de me rattacher à quelque chose. Ce sont aussi les années où je me suis mis à tricoter, le maître d'œuvre du chantier de la Puszta m'avait appris, il m'avait dit que ça consistait simplement à faire des nœuds, au fond, et j'ai continué longtemps, comme si je pensais qu'en apprenant à faire des nœuds pour rien je saurais les dénouer à la fin.* Parfois, Attila en venait presque à regretter la grande haine qui l'avait liée à Bela, simplement parce qu'elle avait été réciproque – il aurait voulu téléphoner à Bela pour le retrouver et se battre de nouveau avec lui, s'affronter, retrouver cette sensation de vie qu'il avait eue tout le temps qu'il l'avait connu, mais il savait bien que c'était impossible, tout comme il ne faut jamais tenter de faire demi-tour lorsqu'on marche dans la neige par une température glaciale.

À présent, dans son intense solitude, plus rien n'était jamais réciproque, et lui, un homme sanguin, exigeant, sentimental, s'en sentait diminué. Repenser à Alma et Irisz lui faisait mal, et dans son désir de simplification il s'interdisait d'évoquer le souvenir des autres femmes, mais parfois, d'une façon terrible, il se rappelait les têtes douces de ses trois petites filles, leurs différentes nuances de cheveux, leurs voix, elles réapparaissaient sans prévenir dans sa mémoire, minuscules et pépiantes, et il les chassait comme des oiseaux invisibles, d'une main invisible. *On ne part qu'une seule fois*, pensait-il, *et on ne peut pas revenir. Revenir pour repartir, c'est un affront, et je ne pourrais jamais rester. Je les ai eues, et je les ai aimées – dans tous les cas, cela aurait été mon maximum.* Ce qu'il savait ne constituait pas une éducation, de son point de vue, et tout ce qui se dissimule derrière l'idée d'*élever* des enfants ne l'intéressait pas et ne l'avait jamais intéressé. Avant son mariage, l'année où sa mère avait été tuée par un tramway sur le kiskörút, il avait trouvé un travail temporaire pour aider son père, mort lui aussi depuis, à nourrir ses jeunes frères et sœurs, un remplacement de quelques mois à la blanchisserie du département d'obstétrique de l'hôpital de Budapest. Il lavait des draps, les serviettes et les blouses, les plongeant dans des cuves pleines d'eau bouillante pour les stériliser, avec des antiseptiques et des désinfectants puissants qui lui brûlaient le bout des doigts. Comme à présent, son service commençait le soir pour se terminer au petit matin, et il était le plus souvent seul dans la laverie, assis sur un banc à lire des livres pour passer le temps. Un soir, la porte s'était ouverte violemment pour laisser le passage à un médecin à la blouse ensanglantée, qui avait tendu un bras vers Attila en rugissant : *Toi ! Viens tout de suite !* avant de repartir en courant en sens inverse. Stupéfait, Attila était parti à la suite du médecin à travers les couloirs et les escaliers jusqu'à une chambre où était allongée une femme enceinte aux yeux fermés, nue jusqu'à la taille. *Le bébé arrive par le siège, je ne peux pas le faire tout seul*, lui avait expliqué l'homme. *Lave-toi les mains*. Et en effet, un petit pied, un pied minuscule, dépassait d'entre les jambes de la femme. Bientôt ce furent deux pieds, puis deux jambes, puis enfin les fesses d'un nouveau-né. *Couvre-le*, cria l'homme. *S'il a froid, il va essayer de respirer, mais il ne pourra pas tant que sa tête est dedans, et ses poumons se rempliront de liquide, et il se noiera.* Attila enveloppa la moitié émergée du bébé dans une couverture. *C'est maintenant que j'ai besoin de toi. Il faut que tu mettes un doigt dans sa bouche, pour maintenir son menton. – Dans la bouche du bébé ? – Oui. Et moi, je vais appuyer sur son ventre à elle pendant ce temps.* Alors Attila essaya – il glissa sa main droite dans le sexe de la femme, maintenant le corps du bébé avec sa main gauche, il chercha la bouche, introduisit son doigt, et, aidé de la pression exercée par le médecin à travers le ventre de la femme, parvint au bout d'un temps qui lui parut infini à faire glisser le bébé hors de sa mère. Après, le médecin avait pris l'enfant et renvoyé Attila au sous-sol sans un mot, et ce dernier n'avait jamais oublié ça. Sage-femme improvisée, momentanée, par accident, il l'était devenu en profondeur, un homme qui savait faire la part des choses peut-être uniquement dans ce domaine, croyant profondément qu'il n'était nécessaire qu'aux premiers instants, et qu'après il devait savoir se retirer. Pourtant, il ne pouvait pas croire que tout était fini, il se demandait ce que le destin lui gardait encore en réserve. Il refusait de l'admettre, mais il n'était pas vraiment taillé pour la monotonie qu'il avait lui-même établie dix ans plus tôt. Quand il faisait de la course à pied dans la cour intérieure, sur les traces de luge des enfants de l'immeuble, il tournait en rond comme un pur-sang captif, il était un homme de cinquante ans propre et silencieux, solide, nerveux, et il dégageait l'énergie dense d'un cheval enfermé, il n'avait pas fini de vivre, il se voyait vieillir, et il avait peur de ses mains asséchées par les solvants, ses mains vides.

Mais une nuit d'automne, contre toute attente, en passant ses doigts dans les cheveux de celle qui allait devenir son dernier amour, il retrouva l'exaltation qui l'avait saisi en effleurant les cornes du petit chevreau dans la plaine, et il refusa de passer à nouveau à côté de quoi que ce soit, il refusa de se laisser effrayer par le risque qui se tenait là et le toisait, dans la chambre obscure où elle et lui reposaient ensemble pour la première fois, quelques heures à peine après leur rencontre.

Une chose sérieuse comme la terre

Il la vit arriver depuis l'autre bout de la terrasse du café-restaurant Gerlóczy. Pas de virages, elle allait droit – *un vol assuré dans ma direction,* penserait-il après, *un putsch sur ma personne, un tir de précision d'elle jusqu'à moi. Je m'en rappellerai toute ma vie, de ce moment-là, d'elle à ce moment précis, son petit visage, les yeux en amande, sans maquillage, et elle qui demande : Leülhetek ide ?* (Je peux m'asseoir ?) Et parce qu'elle parvint à prononcer ces deux mots de façon parfaitement hongroise, sans lui laisser deviner encore son accent étranger, elle passa au travers des balles de sa haine pour les touristes, et il lui sourit, dans son ignorance de ce qu'elle était et de ce qu'elle deviendrait pour lui. Elle lui dit son nom – *Theodora* – et il se présenta à son tour, presque étonné de se souvenir des quelques syllabes qui le désignaient. Par la suite, il se demanderait souvent s'il devait voir quelque chose d'extraordinaire dans leur rencontre – cette fille venant à lui sur la terrasse d'un café qui n'était même pas son préféré, qu'il ne fréquentait que rarement. Si elle était passée par là la veille, ou simplement une heure plus tôt ou plus tard, elle l'aurait manqué – il ne l'aurait jamais connue, il serait resté seul avec ses poussins et sa peinture et sa tristesse et sa dureté. Mais elle était venue, et il avait poussé doucement la lourde chaise de métal pour qu'elle puisse s'installer, et c'était comme ça que tout avait commencé.

La première chose qu'elle lui dit d'elle, une fois assise, c'est qu'elle était la fille unique d'un des plus grands chanteurs de l'opéra de Vienne. *Un Heldentenor, un ténor héroïque,* expliqua-t-elle, les yeux brillants. *Fille unique, et elle parle comme ça de son père,* pensa Attila. *Croire que son père est un héros. C'est dramatique.* Pour la provoquer, parce que ce qu'elle venait de dire lui paraissait absurde et aussi parce qu'il avait enfin reconnu dans sa bouche l'accent viennois qu'il détestait par-dessus tout, qui lui rappelait trop la proximité géographique de l'Autriche, l'ancien allié qui avait abandonné la Hongrie à son sort sans un regard en arrière, il avait demandé : *Mais c'est quoi, au juste, ce monde où un chanteur est un héros ?* Elle avait froncé les sourcils, mais elle n'était pas vexée, plutôt concentrée, une fine spécialiste d'un domaine qu'elle tentait de lui décrire avec fidélité, loyale non pas envers son père, mais envers la somme immense de connaissances qu'elle portait en elle. *Mais enfin, ce ne sont pas de simples chanteurs d'opéra,* dit-elle. *Ce sont les meilleurs d'entre tous. On les appelle comme ça parce qu'ils sont les seuls à pouvoir affronter les rôles les plus exigeants du répertoire.* Attila essaya de deviner ce que pouvaient être ces rôles difficiles – mais avant même qu'il pose la question, elle y avait répondu d'un seul mot : *Wagner,* et il avait eu soudain envie de pleurer en l'entendant associer aussi absolument la notion d'exigence à celle de musique. *Et à part des rôles, qu'est-ce qu'il affronte, ton père ?* lança-t-il. – *Moi,* elle avait répondu après un court silence. *Il m'a affrontée, moi. – Et comment ça s'est passé ? – Eh bien, il est mort.*

Alors Attila la regarda en face pour de bon. Elle était jeune, beaucoup plus jeune que lui. Autrichienne, Viennoise, plus elle parlait et plus c'était évident à cette façon qu'elle avait d'avaler les mots, malgré l'illusion confondante dont elle avait été capable à la première phrase. Ni très grande ni très petite, jolie, vibrante, avec des boucles d'oreilles, les cheveux aux épaules, un fin visage tendu au-dessus du large col de son manteau bleu foncé. Son expression, un mélange de fureur, de fierté et d'incertitude en même temps, indéchiffrable. *Tu as vraiment tué ton père ?* demanda-t-il, et elle rit d'un rire perlé qu'il n'avait encore jamais entendu. – *Bien sûr que non. Non. La mort,* ajouta-t-elle dans un souffle, *est une chose sérieuse comme l'odeur de terreau de la terre bêchée en automne.* C'était une citation d'un poète américain, mais Attila n'en savait rien, et la phrase le frappa comme un coup dans la poitrine. Qui disait des choses comme ça ? Qui lui parlait ? Il avait parcouru ses traits comme un paysage nouveau, un eldorado, jusqu'à ses yeux qu'il avait retrouvé braqués sur lui. *On décolle ?* avait-elle dit alors, gaiement, en jetant un billet sur la table sans regarder et en l'entraînant par le bras, et sur toute la route jusqu'à chez lui elle avait continué à parler, et lui à écouter.

Un ténor est un instrument, lui exposa-t-elle d'une voix fraîche, en spécialiste, alors qu'ils remontaient côte à côte la Rákóczi út dans le jour qui tombait. *Quand mon père a commencé la musique, à dix ans, il était simplement un enfant chanteur, comme il y en a des centaines de milliers chaque année dans le monde. Mais après sa puberté, quand sa voix s'est stabilisée, on a pu commencer à mesurer vraiment sa tessiture, l'ensemble continu de notes qu'il pouvait émettre, et puis il avait grandi, grossi – il m'a dit que tout un été il avait fait du sport et bu du lait avec ses cousins dans le Vorarlberg, si bien qu'à la rentrée il pesait près de cent dix kilos pour un mètre quatre-vingt-douze. Il a chanté devant ses professeurs, d'abord* Umsonst sucht'ich, *puis* In fernem Land, *et enfin* Winterstürme. *Ils l'ont fait chanter et chanter dix fois les mêmes couplets, ils chuchotaient entre eux, c'était tellement rare de mettre la main sur une voix comme celle-là, ils voulaient être sûrs qu'ils ne faisaient pas erreur. À dix-neuf ans, il commençait déjà à jouer ces rôles-là, des rôles qui demandent habituellement des années de pratique, des rôles dramatiques, il faut que tu imagines, dans le dernier acte de* Tristan und Isolde, *le ténor doit chanter plus de quatre-vingt-dix minutes d'affilée, et on lui demande généralement de se placer allongé sur le côté, pour mimer le délire, alors il faut chanter trois arias dans cette position, d'une voix assez forte pour porter au-dessus d'un orchestre de quatre-vingts musiciens. C'est incroyablement difficile, et mon père faisait ça, et il le faisait mieux que quiconque.*

Mon Dieu, pensa Attila. *Une Autrichienne qui me parle de difficulté. Une Autrichienne évoquant la notion de difficulté avec un Hongrois. Veux-tu débattre de difficulté avec les cinquante mille Hongrois raflés pour une marche de la mort à l'hiver 1944, et dont les survivants n'ont servi qu'à ériger des positions défensives autour de ta foutue ville de Vienne ? Veux-tu que je te rappelle que nous étions toujours du petit bois pour vous défendre ? Même Hitler vous l'a dit, et c'était avant la guerre : toute l'histoire de l'Autriche n'est qu'un acte ininterrompu de haute trahison. Et tu veux me parler d'une difficulté incroyable ? Il va falloir que je m'asseye.*

Mais à ce moment-là, ils étaient déjà dans le lit. Theodora s'y était assise en arrivant chez lui et il n'avait rien trouvé à y redire, c'était incontestablement l'endroit le plus confortable pour s'asseoir et parler, mais c'était seulement en la voyant posée là qu'il avait pris conscience du fait qu'elle était la première personne venue chez lui en dix ans. Il s'était assis à côté d'elle pour continuer à l'écouter, et petit à petit, la fatigue venant, ils s'étaient tous deux inclinés, et c'était donc allongé qu'il l'écoutait à présent.

Il ignorait encore à quel point elle était jeune – elle avait vingt-cinq ans. Son père était mort cinq années plus tôt, laissant derrière lui une œuvre considérable de compositeur, en plus des multiples enregistrements de ses performances vocales. Elle ne mentait pas en affirmant qu'il avait été un des meilleurs chanteurs de son temps. Il avait joué Rienzi dans *Rienzi,* Florestan dans *Fidelio,* Lohengrin dans *Lohengrin,* Tristan dans *Tristan und Isolde,* Herod dans *Salome,* Aegisth dans *Elektra,* Bacchus dans *Ariadne auf Naxos,* l'Empereur dans *Die Frau ohne Schatten,* Menelaus dans *Die ägyptische Helena,* Apollon dans *Daphné,* Paul dans *Die tote Stadt,* Mime et Siegfried dans *Siegfried,* Siegmund dans *Die Walküre,* Parsifal dans *Parsifal* et Tannhäuser dans *Tannhäuser.* Autant dire tout, et plusieurs fois, et devant des salles combles. Et elle, elle avait été la fille de ce monstre sonore, de ce bruit massif, dont la présence était encore si persistante dans ses minuscules oreilles que cinq ans après sa mort, pour se présenter à un inconnu, elle prononçait son nom immédiatement après le sien – mais peut-être partageons-nous tous une tendance naturelle à faire de nos parents des êtres surhumains lorsque nous les décrivons, comme si notre première impression de surprise et de ferveur à leur égard ne disparaissait jamais tout à fait, et demeurait dans nos récits longtemps après que nous ayons appris à faire la part des choses à leur sujet. *Tu étais d'abord la fille d'un homme qui criait très fort,* lui dirait Attila plus tard, quand ils se connaîtraient mieux. *Oui,* répondrait-elle, semblant l'espace d'un court instant scandaleusement soulagée de pouvoir le réduire à ça, libérée, cette érudite de l'opéra, ce puits de science musicale, cette fille de l'art, sa fille à lui, élevée dans ses chants, apaisée d'un seul coup en osant l'évoquer seulement par le bruit permanent qu'il lui avait imposé toute son enfance. *Le pire, c'est que je ne sais même pas si j'aime vraiment la musique,* avait-elle avoué le premier soir. *Comment pourrais-je savoir ? Il y en a toujours eu, volume maximal, et le volume, tu sais, c'est le son mais c'est aussi l'espace, tout l'espace que ça prend.* Après l'enterrement, où elle avait dû recevoir les condoléances de tout ce que Vienne comptait de beau monde, elle était rentrée seule en taxi à l'appartement familial, elle s'était installée dans le bureau paternel avec les montagnes d'enregistrements et de partitions, et elle avait tout réécouté. Certains morceaux, elle ne les avait jamais entendus, il avait dû les composer quand elle était en pension, alors elle s'était mise au piano pour les déchiffrer, elle les avait joués et rejoués pendant des heures, elle avait écouté tous les disques les uns après les autres, attentivement, avec l'immense connaissance de la musique qui lui avait été inculquée de force pendant des années, pleurant toute seule devant l'incroyable musicien qu'avait été son père tyrannique. *Brièvement, il m'a presque manqué. C'était affreux de découvrir tout ça après, même si ça n'excusait rien. C'était comme une cathédrale de musique, et j'étais toute seule dedans, et je n'avais personne à qui parler, je buvais son cognac, je fouillais ses archives, et j'aurais voulu qu'il soit là, juste une seconde, juste une demi-heure, pour lui demander comment il était parvenu à faire cette chose, toutes ces choses dont je n'avais aucune idée, parce que dès douze ans j'avais fui sa voix et réclamé un départ en internat, et que nous ne nous étions jamais pardonnés pour ça. Et puis le téléphone a sonné, c'était un chef d'orchestre qui avait été, des années durant, un habitué fidèle du salon de mes parents, mais il m'a à peine demandé comment j'allais, il était très excité, il voulait m'offrir son expertise pour la succession, m'accompagner, me soulager de ce « fardeau », a-t-il dit – mais nous savions tous les deux que ce fardeau était d'abord un trésor. C'est là que j'ai compris que d'autres hommes comme celui-là allaient bientôt essayer d'escalader le cadavre de mon père pour avoir une meilleure vue – et ça n'a pas manqué, le téléphone s'est mis à sonner sans arrêt, ma mère était partie en cure de repos, évidemment, et tout le monde appelait pour avoir une part du gâteau, tout le monde voulait que j'envoie des partitions par porteur, que je signe des papiers, que je me repose, que je prenne soin de moi. Je ne sais pas ce qui m'a le plus énervée, à la fin – qu'on insulte mon père ou qu'on m'insulte moi en pensant que je n'étais pas capable de reconnaître de la vraie musique quand j'en entendais.* Elle était restée une semaine dans le bureau comme dans un coffre-fort, à laisser le téléphone sonner dans les oratorios, à vider l'armoire à liqueurs et à dormir dans un fauteuil. Elle était censée retourner étudier à la rentrée, mais elle ne pouvait pas laisser ça derrière elle, alors, finalement, elle avait décroché le téléphone à son tour.

Elle reprit contact avec tous les gens avec lesquels son père s'était fâché dans ses dernières années, quand la tumeur pas-encore-détectée s'épanouissant secrètement dans sa tête le rendait de plus en plus invivable. Directeurs d'opéras, de maisons de disques, de festivals, elle leur téléphona à tous, séparément, sans que jamais ils ne se doutent qu'elle les appelait comme un général convoque son armée, avec le mépris et la froideur de ceux qui considèrent que les questions de personnalité n'ont pas cours dans le domaine professionnel, elle se rappela à leur souvenir, leur donna rendez-vous dans les endroits les plus chers qu'elle connaissait en Europe et en Amérique, elle les emmena fumer des cigares sur les *rooftops* des hôtels en leur rappelant le bon temps, quand petite elle grimpait sur leurs genoux déjà branlants, et elle les flatta, elle leur resservit du champagne, pour les impressionner, pour rédimer le souvenir qu'ils avaient de son père effondré, dans les derniers mois, ne pouvant même plus chantonner, gros, écroulé, pitoyable – ce furent les mots exacts qu'elle prononça devant Attila. En quelques mois, à elle seule, à vingt ans, sans autre expérience que la colère, elle fit remonter le cours de la voix de son père, elle le fit chanter d'outre-tombe, plus juste, plus magnifiquement que jamais, elle le ramena à la vie, Orphée victorieuse, imbattable, travaillant avec acharnement pour ne pas penser à l'offense qu'on lui avait fait subir – *et quand il arrive encore aujourd'hui qu'un de ces vieux salopards de traîtres me dise, à la fin d'un rendez-vous* : Tu ne peux pas savoir à quel point tu lui ressembles, *je lui réponds que je le sais très bien, au contraire, et que c'est justement pour ça que je suis là – pour qu'il voie en face de lui mon père, mon père jeune à nouveau, puissant, comme revenu d'entre les morts, qui le toise et lui fait honte de sa conduite.*

Mon Dieu, avait pensé Attila pour la deuxième fois. *Mon Dieu. Quelle fille.* Et parce qu'entre-temps elle avait glissé sa tête sur son épaule, il l'avait serrée contre lui, cette étrangère trouvée dans un restaurant du centre, cette jeune femme qui parlait de choses qu'il ne connaissait pas. Pourtant, il y avait quelque chose dans sa voix qui le touchait, le rassemblait, le rappelait à lui-même. *Ne sois pas idiot,* pensait-il. *Ça n'a pas de sens. Bien sûr que tu as envie d'elle, après tout il y a dix ans que tu n'as touché personne et que personne ne t'a touché à l'exception du médecin du travail qui t'a occasionnellement soupesé les testicules le jour de l'inspection. Ça ne veut rien dire. Elle n'est là que par hasard, et elle repartira comme elle est arrivée. Ne commence pas à t'y habituer. Rappelle-toi ce que tu as fait, autrefois, avec les femmes – tu n'as fait que détruire. Tout ce que tu aimais, tu l'as détruit. Ne commence pas à te raconter des histoires. Ne pars pas dans cette direction.* Pourtant, il ne pouvait pas ne pas la deviner à travers les vêtements, aussi chaude et palpitante qu'un poussin, lovée dans ses bras, différente de tout ce qu'il avait connu, mystérieuse. Quand il sentit venir son érection, il résista encore, pensant : *Mais enfin qu'allons-nous faire, ensemble ? Cette jeune femme qui est une guerrière et moi qui n'ai pas combattu depuis des années, qu'allons-nous faire l'un de l'autre, si nous allons par là ? Est-ce que je suis même encore capable de faire ça ? Et pourquoi voudrait-elle de moi ? Et moi, que ferais-je d'une Autrichienne musicale, d'une Viennoise acharnée de fierté ? Mon corps se tend vers elle comme s'il la reconnaissait, mais malgré tout nous ne sommes que deux étrangers l'un pour l'autre, et quand elle saura qui je suis, quand elle me verra à la lumière sans pitié du matin, que fera-t-elle ?* Dans un mouvement de défense, il posa ses deux mains sur sa tête à elle, et elle se retourna, et le regarda de ses grands yeux, brillant dans le noir, et il sut que c'était trop tard, qu'il ne pourrait plus résister, et qu'elle le voulait, elle aussi, qu'elle avait peut-être toujours su que ça arriverait, et elle l'aida à trouver le chemin dans ses vêtements, et il ne lui fallut qu'un instant pour être dans ses bras, nue, jeune, et vive, avec ses yeux toujours grands ouverts tandis qu'il la prenait dans le profond silence de la nuit, comme une armée ensommeillée prend une ville qui veille. Plus tard, il chuchota : *Mais tu ne me connais pas. Tu ne m'as jamais vu.* Mais elle s'était endormie dans ses bras – elle n'avait rien entendu, et il la serra plus fort.

C'est vrai, je ne te connaissais pas, dit Theodora longtemps plus tard, quand ils reparlèrent de cette première nuit. *Je ne savais rien de l'amour, mais je connaissais son absence – c'était comme ces jeux d'enfants où chaque creux correspond à une pièce de bois de la même forme. Et voilà que je te rencontrais, toi, tu me faisais l'effet du bruit sourd qu'on entend juste à l'instant où l'on pousse la porte d'un théâtre au beau milieu d'un concert retentissant. Un rugissement lourd, douloureux, voilà ce que j'ai entendu malgré moi de l'autre côté de la terrasse, un fleuve d'amour grondant qui m'appelait, qui réclamait une baigneuse téméraire. Et je suis venue, attirée par ce bruit que je reconnaissais d'instinct sans l'avoir encore jamais entendu auparavant. Je ne savais rien de toi, quand je suis venue dans ton appartement, j'ignorais encore à quel point cet endroit allait me devenir familier, comment ton lit sur lequel je venais de m'asseoir allait devenir aussi mon lit. Parfois, si je me concentre, je peux encore revoir l'appartement comme je l'ai vu ce jour-là – la peinture partout, les petits meubles épars, les pièces obscures dans la nuit, et toi, au milieu de tout ça, un inconnu, un parfait inconnu, un étranger de presque trente ans mon aîné, très silencieux. Même ton visage de ce jour-là, je peux le revoir parfois, ton visage inédit que je regardais à côté de moi sur le lit, sans savoir que j'allais le regarder tous les jours suivants, que j'allais le voir dans toutes les situations, avec de la peinture sur une joue, avec un pansement, avec la fatigue, avec le plaisir. Je ne savais pas qu'un jour je serais capable de reconnaître tes pas dans l'escalier, ta manière de tousser, ton dos, dans la rue, entre tous, sans une hésitation. J'étais appuyée contre ton corps, et j'ignorais tout de ce qui se trouvait à l'intérieur. Je ne savais pas que quelque chose était en train de commencer. Quand je pense à tout ce que nous savons l'un de l'autre aujourd'hui, je n'arrive pas à croire que nous ayons pu un jour l'ignorer – nous allions devenir très intimes, mais nous ne le savions pas encore, nous étions les mêmes personnes que maintenant, à peu près, mais nous n'en savions rien, et nous nous observions dans la nuit. Quand nous avons fait l'amour, il y avait à peine quelques heures que je t'avais vu pour la première fois, assis à cette terrasse avec tous tes vêtements sur toi, et voilà que déjà nous étions nus ensemble – c'était presque une surprise de découvrir que tu avais un corps sous le tissu, penser que c'était si proche, qu'avant ça au café je t'avais demandé si je pouvais m'asseoir avec toi, j'avais eu recours à la politesse pour demander une chose aussi minuscule, et après, chez toi, de la même façon j'avais demandé un verre d'eau, et un endroit où poser mon manteau, et à présent nous ne nous demandions plus rien, nous étions déjà dans cette brèche sauvage qu'ouvre le sexe dans les rapports humains, cette zone de non-droit où tout devient plus rapide, plus exigeant, plus instinctif, et je posais ma bouche sur la tienne alors que quelques heures avant je me serais excusée si je t'avais frôlé par inadvertance. Après, je ne me rappelle plus, je me suis endormie, et le matin, quand je me suis réveillée avant toi, j'ai marché dans ta maison silencieuse, ce n'était plus pareil, j'essayais de faire le lien entre toi et cet endroit, un peu comme les archéologues explorent les grottes pour comprendre comment vivaient ceux qui y habitaient autrefois. Il y avait beaucoup, beaucoup de peinture, partout, j'ai regardé les dessins peints sur les murs, et puis aussi les toiles, petites et grandes, et ça me plaisait, mais je me demandais quel genre de personne pouvait faire ça, il y avait tellement de colère dans ta peinture à l'époque, et après, quand tu m'as dit que tu travaillais à l'usine de poussins, j'ai été encore plus confuse. Sur l'unique étagère de ta cuisine, il y avait un bol, une tasse et une assiette de porcelaine, une théière, deux cuillères, une fourchette, et trois couteaux bien aiguisés. J'ai pensé, très brièvement, que peut-être tu étais un tueur solitaire, mais à ce moment-là tu t'es réveillé. Je savais exactement quatre choses sur toi, la peinture, les poussins, la solitude et la texture de ta peau, c'était très peu, c'était minuscule, mais l'amour est la forme la plus haute de la curiosité et je suis tombée amoureuse de toi.*

De ce qu'ils se dirent ce matin-là, Attila ne parvint jamais à se souvenir, sauf d'une chose. Quand il s'était réveillé, il avait cru avoir tout imaginé, jusqu'à la trouver bien réelle et silencieuse et assise à la table où il avait l'habitude de mélanger ses couleurs. Il avait fait chauffer l'eau pour le thé qu'ils avaient bu debout, face à face. Il était complètement bouleversé par sa présence, c'était comme s'il avait poussé la porte et trouvé un chevreuil dans sa cuisine. Il la regardait boire sans parvenir à cesser de repenser à la nuit précédente, sa façon très sauvage de faire l'amour, ses virages, sa peau douce, l'odeur de sa sueur, le poids exact de son corps. *Est-ce que je peux rester ici avec toi ?* demanda-t-elle soudain. Et, parce qu'il était complètement égaré alors, il dit *oui*, sans comprendre qu'elle voulait dire – *rester avec toi tout le temps à partir de maintenant.*

Theodora posa ses bagages dans l'appartement de la Fecske utca. Avec la simplicité obstinée d'un oiseau faisant son nid, elle apporta ses affaires l'une après l'autre, au rythme de ses allers-retours entre Vienne et Budapest. Attila la regarda faire, interdit. Elle était très étrange, pour lui. Il essayait de la deviner au travers des choses qu'elle avait apportées, mais elle possédait des objets qu'il n'avait jamais vus, comme cette petite machine vibrante qui se branchait et qui servait, d'après ce qu'elle lui en avait dit, à éliminer la cellulite – quelle cellulite il aurait bien aimé savoir. Elle avait deux téléphones qu'elle rangeait dans ses poches, des livres écrits dans six langues différentes, et apparemment, elle les lisait vraiment, des valises entières de vêtements qu'il regarda entrer sur son territoire réservé comme autant de régiments. *Est-ce que ce sont des armes ou des matériaux de construction qu'elle apporte avec elle ?* se demandait-il. *Est-ce que c'est une forme nouvelle de colonisation ? Est-ce qu'elle s'apprête à ériger quelque chose ici, à mon insu ? Quand elle aura amoncelé dans ma maison tout ce qu'elle veut, que fera-t-elle encore ?*

Un matin, en rentrant du travail, il la trouva assise sur son tabouret de peinture, les chevilles croisées au sol, les mains sur les genoux, regardant fixement le mur devant elle. *Qu'est-ce que tu fais ?* demanda-t-il en enlevant son manteau. Elle ne dit rien et ne bougea pas non plus, alors il attendit un peu, et puis finalement il s'approcha pour la toucher, comme pour vérifier qu'elle était bien vivante. – *Oh, je n'avais pas fini !* dit-elle enfin, après ce qui sembla une éternité à Attila. – *Mais qu'est-ce que tu faisais ? Pourquoi est-ce que tu restes assise sans bouger comme ça ? – Je méditais,* expliqua-t-elle en s'étirant. *Je le fais tous les matins. D'habitude j'ai terminé avant que tu arrives, mais je me suis levée en retard aujourd'hui. – Tu médites ?* répéta Attila sans comprendre le verbe. *C'est quoi, ça ? – Un truc de relaxation. Méditer,* récita-t-elle consciencieusement, *t'apprend que tes émotions ne sont pas la finalité totale de ton être. – Je ne crois pas que j'aie envie d'apprendre ça,* répondit Attila en s'enfuyant à petits pas vers la cuisine.

Il n'avait pas vécu avec une femme depuis plus de dix ans. Au début, il l'aima pour ça, au minimum. Il la découvrit et il l'aima dans le quotidien, il adora son corps chaud contre le sien, le bruit de ses pas sur le parquet, ses cheveux châtains qu'elle le laissait tresser, sa peau douce, après le temps infini durant lequel il ne s'était pas autorisé à toucher qui que ce soit. C'était tellement intense, une femme, cette femme, sa présence, sa vivacité. Au lit, elle était irrégulière, comme pas finie, parfois brûlante et parfois empruntée, sautant comme un disque abîmé, caracolant entre les diverses personnalités qui la tentaient et parmi lesquelles elle ne semblait pas encore avoir fixé son choix. Certains jours, elle était sidérante d'érotisme, elle était brutale et subtile, glissant un pied nu dans sa bouche, impériale, liquide, ses mains lourdement baguées glissant sans effort autour de son sexe, sa bouche infatigable, son corps semblant s'étendre partout dans le lit comme une nappe de pétrole dans laquelle il peinait à reprendre son souffle – mais d'autres fois elle se laissait aller dans ses bras avec une telle maladresse qu'il la berçait longtemps avant d'oser la pénétrer, et quand il la prenait enfin, incertain, avec infiniment de précautions, elle le fixait sans un mot, la mâchoire serrée, les yeux grands ouverts comme la première nuit, pleins de stupeur, ses paumes appuyées contre ses épaules à lui en un geste étrange, elle le suçait avec des bruits minuscules qui lui faisaient tendre l'oreille à en devenir fou, et finissait par s'endormir roulée en boule, les orteils collés aux siens. À d'autres moments, il ne pouvait pas y croire, elle faisait l'amour comme si elle se débattait contre des agents de police pour voler un bocal de malossols, pour réussir à partir avec une denrée urgente qu'elle n'avait même pas bien regardée au moment où elle l'avait agrippée à l'étal, dont elle avait déjà tout oublié à l'exception du fait qu'elle la voulait, mais pour laquelle il faudrait à présent lui passer sur le corps – et c'était ce qu'il faisait alors, il *passait sur son corps* pour lui tirer un orgasme, et s'il y parvenait, le plus souvent, c'était seulement parce que c'était toujours plus facile de dérober aux gens quelque chose qu'ils avaient oublié posséder. Elle n'était pas un fauve, elle n'avait pas leurs mouvements lourds, leur amour-propre, leur immodestie rutilante, elle était plutôt quelque chose comme un petit oiseau carnivore ou un rongeur, crécerelle ou belette joueuse, désordonnée, vorace, exténuée par sa propre frénésie, dépassée. Qu'avait-elle bien pu faire dans le passé pour être dans cet état, il se le demandait parfois. Où avait-elle appris ces mouvements brisés qui constituaient son style, qui avait été son professeur, qu'avait-elle compris exactement de l'amour pour le mimer de cette façon dérisoire, et l'incarner tellement pleinement la seconde suivante ? En dépit de tout, elle le ravissait, elle était passionnante, dans ses lacunes comme dans ses excès, pleine de vie, elle ignorait la sévérité, elle ignorait le froid, à sa façon, elle était innocente aussi, elle possédait – mais cela il le découvrirait seulement un peu plus tard – dans différentes régions des domaines entiers de forêts qu'elle n'avait jamais parcourus, et il y avait en elle quelque chose de sauvage qui éveillait un écho en lui.

La nuit, il triait ses poussins, et quand il rentrait, Theodora était presque toujours là, il dormait comme une pierre dans ses bras, après, il peignait pendant qu'elle lisait ses livres allongée sur le lit. À midi, il faisait réchauffer deux boîtes au lieu d'une, il lui faisait l'amour, il peignait encore un peu et puis il retournait travailler – ou alors, les soirs où il ne travaillait pas, ils restaient en tête à tête à parler, allongés sur le lit et poursuivant la conversation amorcée le premier soir. *Où tu étais, quand je suis née ?* demanda Theodora un jour. *Qu'est-ce que tu faisais cette année-là ? – Quand tu es née*, répondit-il, *je vivais avec ma femme et je travaillais pour son père. – Qu'est-ce que tu faisais, exactement ? – Je vendais des choses. – Mais quel genre de choses ? – Toutes les choses. – Et tu ne savais pas que j'étais née. – Non.* Il n'avait pas vu où elle voulait en venir au départ, mais il comprit d'un coup. Il imagina ce jour lointain où sans qu'il n'en sache rien une enfant était née dans le pays voisin, une enfant qui se trouvait à présent chez lui, grandie, la tête posée sur sa poitrine, à lui parler. C'était simplement vertigineux d'y penser. Toutes ces années, il avait vécu sans elle, sans même avoir connaissance de son existence, il avait dormi, mangé, marché sans elle, et à présent qu'elle était là il ne parvenait plus à comprendre comment cela avait été possible. Quand elle partait en déplacement, parfois, elle lui manquait tellement qu'il allait regarder dans le miroir de la salle de bains les traces que ses doigts et ses ongles avaient laissées sur la peau de son dos pendant l'amour, et il avait envie de pleurer. Il aurait voulu l'avoir connue quand elle était enfant, l'avoir connue tout le temps, qu'il n'y ait rien de sa vie qu'il lui ait échappé. Il était jaloux de toutes les personnes dont elle lui parlait. *Je me fous de savoir qui tu aimais, qui tu aimais bien, qui te baisait et à qui tu donnais la main, autrefois. Je ne veux pas savoir qui d'autre que moi a franchi cette bouche. Tu te donnes à moi, ou alors tu ne te donnes pas.*

Parfois, tout de même, mu par un désir de les protéger l'un comme l'autre, il essayait de lui dire qu'il était trop vieux et trop pauvre pour elle, qu'elle pouvait encore partir, qu'elle avait sûrement mieux à faire, mais Theo secouait la tête. *Je connais la musique*, répondait-elle en souriant, allongée nue sur lui, et il pensait, avec inquiétude : *Oui, mais tu ne connais que la musique, n'est-ce pas ? Tu connais l'opéra et l'histoire de l'opéra sur le bout des doigts, et c'est presque tout.* Après qu'elle lui en eut parlé des heures durant, il avait été presque rassuré la première fois qu'elle avait mis un disque chez lui de découvrir qu'elle n'écoutait pas seulement ça. (En réalité, comme il le découvrirait plus tard, Theodora n'écoutait jamais d'opéra chez elle à moins d'y être contrainte par des raisons professionnelles, parce que la musique lui rappelait trop son père et les sentiments mêlés qui l'agitaient à son sujet, elle se refusait à le faire rentrer dans sa demeure, quelle qu'elle soit, où qu'elle soit, mais elle allait au Wiener Staatsoper, toute seule, elle s'enfonçait dans les fauteuils de velours qu'elle connaissait comme sa peau, et elle se laissait prendre dans la musique, à la seule condition que ce ne soit pas celle de son père, elle se déplaçait mentalement dans ce territoire conquis, c'était sa zone de confiance, le Staatsoper, le seul endroit du monde où elle s'autorisait à pleurer, dans le noir protecteur de la grande salle ovale.)

Les disques qu'elle avait apportés avec elle portaient des noms qui ne disaient rien à Attila, mais quand elle montait le volume à fond, il quittait sa peinture pour venir danser avec elle, et les basses résonnaient merveilleusement dans sa tête tandis qu'une voix criait dans une langue qu'il ne pouvait pas comprendre. À son époque, à l'école, on enseignait le russe, qu'il avait ensuite oublié le plus vite possible à défaut de pouvoir oublier tout le reste. Il ne connaissait pas l'anglais, elle avait proposé de lui apprendre, il avait été abasourdi, il avait pensé : *Mais, enfin, ça me demanderait des années de prendre possession de tout ce dont j'ai été privé, et je n'ai pas des années. Ceux qui nous ont tout réquisitionné le savaient très bien. Ils savaient que passé un certain seuil de privation, il n'y aurait pas de retour en arrière possible. Ils jouaient avec le temps, et c'est d'abord comme ça qu'ils ont gagné, d'une victoire sans appel. Aujourd'hui, même morts et enterrés, ou planqués et jouant au golf au Mexique, ils ont gagné pour toujours, et nous on reste dans notre ratodrome, ineptes, inaptes, dépossédés devant l'Éternel.* Il pensait : *Elle ne comprend rien. Elle ne peut pas comprendre. J'ai oublié. Elle est trop petite. Elle est autrichienne.*

Pourtant une nuit, de retour d'un de ses voyages d'affaires qui l'emportaient partout dans le monde pour assurer la gloire posthume de son père, elle sonna à la porte de l'appartement, et Attila vint lui ouvrir en pyjama, et dès qu'elle le vit, elle cria : *Où tu as trouvé ça ? – Quoi, ça ?* demanda Attila sans comprendre. *Le pyjama, le pyjama, regarde !* Et elle jeta sa valise par terre, l'ouvrit pour en sortir quelque chose, enleva tous ses vêtements d'hiver à la vitesse de l'éclair et se rhabilla dans la foulée – et alors il la vit, plus précisément peut-être que jamais auparavant, debout sur le seuil, portant exactement, exactement le même pyjama que lui. Incroyable. Elle l'avait acheté à l'aéroport d'Atlanta avant de rentrer, et celui d'Attila venait d'une boutique discount de Terézváros, mais c'était les mêmes pyjamas à l'ancienne, avec de petits carreaux bleu foncé et des boutons ronds en nacre.

Voilà – pour ça, et pour toutes sortes d'autres choses indicibles, minuscules, il se sentait incapable de la repousser hors de sa vie, même si elle était tellement jeune et différente que c'en était effrayant. *Les hommes qui trient les poussins avec moi dans la nuit*, pensait-il, *regardent la télé l'après-midi en se coupant les ongles des pieds, ils font des mots fléchés ou s'occupent de leurs enfants – et moi, c'est une enfant qui s'occupe de moi. Je suis tombé sur la tête.* Mais quand elle le laissait la prendre allongée sur le dos, quand elle se remettait à lui comme une gorgée d'eau qu'on porterait dans la paume, précaire, éparse, totale, il l'aimait, il l'aimait vraiment, il ne pouvait pas faire le premier pas dans la direction opposée à la sienne – peut-être parce qu'il avait toujours été dans sa nature de prendre ce que la vie lui donnait, même à présent qu'il avait le sentiment indiscutable que ce n'était pas approprié, qu'il y avait eu une erreur dans la lecture des numéros du bingo et que son lot n'était pas celui qu'il aurait dû recevoir, il prenait – *je prends toujours, à bras ouverts, comme on ouvre la bouche pour boire la neige. Je suis comme ça. Mon prénom est Attila.*

Les premières semaines, parce qu'il avait conservé presque intact le rythme de sa vie quotidienne, parce qu'il voyait toujours Theodora sur le territoire balisé de son appartement, et seul à seule, Attila avait eu la sensation d'être en sécurité, de maîtriser la situation, comme un guetteur rassuré de pouvoir embrasser tout l'horizon d'un regard. À aucun moment il n'avait pensé que le danger, quel qu'il soit, pourrait venir de l'intérieur – et pourtant, c'est ce qui arriva.

Au départ, elle lui avait parlé de son père avec une telle profusion, une telle agitation, qu'il avait imaginé qu'elle lui avait presque tout dit d'elle. Pendant plusieurs semaines, il l'avait comprise comme ça, comme la fille de l'homme qui chantait fort et tout le temps, l'enfant unique du ténor mondialement connu qui était trop brillant, trop égoïste pour être un père, une fille qui avait attaqué son complexe d'Électre par le milieu, en l'infiltrant, en s'y faisant une cabane ou une vigie d'où elle pouvait contrôler rétrospectivement au moins un petit peu de ce qui lui avait été imposé. Elle avait fait sa présentation comme un guide touristique qui, menant un groupe dans une salle de musée, attire son attention sur un seul tableau qu'il décrit méticuleusement avant de passer à la galerie suivante. Il y avait si longtemps qu'Attila n'avait pas fait de rencontre qu'il avait oublié, dans l'intervalle, la liberté dont chacun use pour présenter ses cartes selon un ordre choisi, la façon dont une introduction est d'abord une composition, un collage réfléchi, et il avait oublié également qu'il ne lui avait rien dit, lui, sinon qu'il triait des poussins et faisait de la peinture. C'était seulement au bout d'un moment qu'il avait compris qu'il y avait autre chose à savoir au sujet de Theodora, une autre chose d'importance égale, mais à laquelle elle était habituée depuis trop longtemps pour la signaler, ou alors peut-être était-ce parce qu'il était impossible d'en tirer un récit aussi subtil que celui qu'elle avait élaboré à partir de la profession paternelle.

Parce qu'il n'y avait pas seulement son père – il y avait sa mère aussi. Avec le recul, il se demanda comment il avait pu ne pas deviner, mais il était déjà trop tard.

La mère de Theodora descendait d'une des plus vieilles lignées aristocratiques autrichiennes. Après l'effondrement du système impérial, sa famille s'était reconvertie dans la finance, et avait ainsi augmenté une fortune déjà incommensurable. Si l'art de son père avait rythmé la vie de Theodora, c'était l'argent de sa mère qui avait tout permis. En conséquence directe de quoi Theodora Allegria Maria Babbenberg avait grandi dans un hôtel particulier donnant sur le Prater, avant de partir à dix ans et demi étudier dans une pension en Suisse, qu'elle quittait tous les étés pour voyager par air ou par eau. Elle avait passé son enfance à grignoter du caviar à la petite cuillère entourée d'imprésarios, d'ambassadeurs, de vieux virtuoses qui la prenaient successivement sur leurs genoux, extasiés, sur des toits d'hôtels surplombant la Riviera française. Elle avait marché sous les palmiers et un soleil de plomb, munie d'un petit chapeau de toile, elle avait mangé des glaces et nagé dans l'eau salée, joué avec ses baby-sitters cosmopolites, elle avait été cette petite fille riche dont le père était célèbre et l'avait regardée d'un œil distrait faire ses premiers pas sur les moquettes profondes du Waldorf. Elle avait connu la chaleur écrasante de la Cinquième Avenue en juillet, les pluies d'été du Yucatán – en déballant son dernier carton, elle montra à Attila des photos d'elle petite, et, dessus, on voyait déjà très limpidement que c'était une enfant de riches, elle en avait tous les attributs – la peau de bonne qualité et l'arrogance sans fin. Jamais une enfant de l'arrondissement de Józefváros où lui avait grandi n'aurait eu seulement le début de l'idée de poser sur un capot de voiture au soleil, à six ans, dans son bikini blanc rayé, en levant délicatement une main devant ses yeux pour se protéger du soleil de La Spezia, comme Theo le faisait pour toujours sur l'instantané qu'elle avait collé à côté d'un vieux portrait de lui, et Attila contemplait avec stupéfaction son teint hâlé en plein hiver, juxtaposé à son propre visage éprouvé. Il se rappela alors de sa question – où était-il quand elle était née – mais ce n'était pas la vraie question, en réalité. Où pouvait-il s'être trouvé, lui, le jour où la photo avait été prise ? Dans une arrière-salle, à dealer des chutes de fourrure ou des caisses de pommes ? Et pour toutes les autres photographies, tous ces instants immortalisés de son enfance insolemment radieuse, où était-il pendant ce temps ? Ou plutôt, où était-elle, elle, quand il avait vu de ses yeux sa mère morte, ensanglantée sur la neige sale entre deux rails de tramway mal entretenus, quand il déchargeait des sacs de sucre glace à la pâtisserie, quand il pleurait dans la plaine, quand il apprenait à tuer des poussins, à dormir seul, à survivre ? À Copacabana ? À Miami ? Pour ensuite arriver la bouche en cœur, riche de l'argent des déserteurs, et tout bouleverser à l'intérieur de lui ? Plus il regardait ses photos de vacances, et plus il lui semblait observer pour la première fois de sa vie une carte précise de l'ex-Empire qui avait porté le nom de leurs deux États – et toute sa haine de l'Autriche lui revint, d'un coup, il remit les choses en place dans sa tête, il rassembla ses fantassins, il décréta une session extraordinaire pour juger son cas. Pas seulement une Autrichienne, donc, mais une de ce type-là. Une fortunée. Une privilégiée. Une Autrichienne haut placée, en somme, même s'il était difficile pour lui d'imaginer quelque hauteur à ce pays. *Mais bien sûr elle ne m'a pas dit ça d'abord,* pensa-t-il. *Elle a dit d'emblée qu'elle était la fille du ténor, mais elle n'a pas dit qu'elle était aussi la fille de la millionnaire. Bien sûr que non. Bien sûr.*

Bien sûr, elle est restée silencieuse là-dessus, exactement comme son roi, des siècles plus tôt, lorsque nous lui avons offert notre couronne pour le supplier de nous protéger des Turcs, a accepté le bijou mais n'a rien fait avant que son propre pays soit menacé aussi, et à ce moment-là nous étions si affaiblis déjà qu'il nous fallut bien accepter cette honte suprême de devenir une province de l'empire de la maison Habsbourg – Habsbourg, le château des vautours, voilà ce que signifie ce nom, et ils surent lui demeurer fidèles, mais à cela seulement. Nous, ils nous snobèrent, toujours, et plus tard, la première chose que fit leur empereur fraîchement nommé, François-Joseph, à dix-huit ans, pour remplacer un vieillard sénile et épileptique, ce fut de faire marcher l'armée impériale sur Budapest, armée jusqu'aux dents – toujours, toujours ils nous ont conquis dans le sang. Là où il y a du sang, il y a un vautour. Notre grand orateur, notre rebelle, notre mélancolique Széchenyi, ils le firent interner. Ces Autrichiens violents, dégénérés, il faut qu'ils se sentent menacés pour ouvrir les yeux, et si après la bataille de Sadowa Bismarck n'avait pas insisté pour les exclure de toutes les Allemagnes, nous en serions encore à réclamer un compromis dans le vide. Et quel compromis – devenir l'associé minoritaire d'un pays haïssable, partager son nom – peut-être, à la longue, aurions-nous pu l'oublier suffisamment pour nous y faire – mais on ne gagne jamais rien à faire affaire avec des abrutis. Ces Habsbourg, il a fallu qu'ils agacent tous les peuples autour pour qu'enfin un étudiant serbe se décide à en tuer un – par hasard celui qui nous détestait le plus, et nous le lui rendions bien. Et pourtant, parce que nous étions part de cet empire, nous avons été impliqués dans cette première guerre mondiale revancharde, cette guerre mal pensée, menée par des gens si bêtes qu'ils n'ont pas été capables de la gagner, et nous, nous y avons perdu les trois quarts de notre territoire, nos frontières naturelles, perdu du terrain en partie à leur bénéfice à eux, pour des raisons toujours inexplicables. Comme toutes les choses qui nous ont été retirées, la justice ne sera jamais rendue. Cette année-là, en 1920, nous avons véritablement touché le fond – mais nous sommes remontés admirablement à la surface, et c'est le moment qu'a choisi un nouvel Autrichien pour déclencher une guerre encore plus stupide et meurtrière. Et quand cette guerre-là s'est finie, j'en mettrais ma main à couper, sa famille à elle, sa famille de riches, a probablement fêté la libération de Vienne au chaud à New York ou ailleurs avec du champagne et des petits gâteaux, a pris du bon temps, s'est sentie soulagée en regardant le soleil se coucher sur la mer limpide, pendant que les miens, mes parents, mes grands-parents, sortaient des caves de la ville, engourdis, pliés, risquant un œil, pour ne plus voir que du vide, pour ne plus rien trouver de leur paysage, parce que tous les ponts étaient tombés dans l'affrontement. Et à peine auraient-ils repris leur souffle que les Russes seraient là, emmenant des civils hagards au plus profond de la Sibérie, des prisonniers qui ne seraient rendus à ce qui ne serait plus jamais une famille que lorsqu'il serait trop tard, et de ça nous allions mettre des années à nous en remettre – et il est même très possible que nous ne nous en soyons pas encore remis, et c'est exactement pour ça qu'elle est là à ne surtout pas en parler, c'est ça, c'est Vienne venant sucer le dernier sang hongrois avec une paille, dis-moi, est-ce que tu veux aussi une ombrelle miniature en papier et une cerise confite et de la glace et un quartier d'orange au bord de ton verre, ma chérie ? Dis-moi tout – dis-moi combien de temps encore tout ça a été programmé pour durer, combien de temps encore tiendra cette impression que j'ai en descendant dans la rue, dans les souterrains du métro construits par les Russes pour traverser les avenues, comme si on n'était pas assez dignes, nous, pour se mouvoir à l'air libre et à la vue du ciel, combien de temps tiendra cette impression que ce que je vois dehors n'est pas un peuple mais un champ de bataille où les cadavres se relèvent tout juste, sales et titubants ? Un camp de rescapés, et le mot même de « rescapés » siffle à mon oreille comme une balle parce qu'il sonne faux, parce qu'il demande, comme moi, qui a été rescapé de quoi, au juste, puisque ici à l'hiver quarante-cinq il n'y avait plus de gaz, plus d'électricité, plus de téléphone, plus de ponts, puisque toutes les vitres de ma ville étaient en miettes, les voitures carbonisées, les rues remplies jusqu'à plus soif de ruines, à la grâce des bombes tactiques lâchées par les chasseurs-bombardiers soviétiques, puisque ces mêmes Soviétiques qui venaient de nous libérer renversaient sauvagement la vapeur et rentraient dans les maisons dépouiller ceux qui restaient de leurs gants et de leurs montres, on serait affligé aujourd'hui de lire un fait divers comme ça dans la presse, le plus petit hold-up du monde, le hold-up le plus déchirant, la pire tristesse, mais c'est ce qu'ils ont fait, pourtant, les ennemis avec qui vous nous aviez laissés en tête à tête, après avoir fait tout le reste, ils ont pris la chaleur et la notion du temps, avant de rafler les gens et de les expédier là-bas, en Sibérie, à couper du bois ou à casser des cailloux, pendant qu'eux, les Russes, allaient s'asseoir dans les fauteuils encore chauds des fesses des nazis, sur Andrássy út, qu'ils appelleraient Sztálin út comme ils allaient redonner un nom à chacune de nos rues, nos rues démolies, nos rues devenues des crevasses, et ce nouveau régime communiste qui ne trouvait rien de mieux à faire que de nous construire un stade – qu'est-ce que ça voulait dire, à part qu'on pouvait toujours courir ? Jusqu'à ce que viennent l'insurrection de cinquante-six et leur tour de se planquer dans les caves humides avec la peur au ventre, et un millier de Budapestois qui se lèvent pour partir à l'aube vers la frontière autrichienne, dans le givre, fallait-il qu'on soit givrés, fallait-il qu'on soit désespérés pour faire ça – aller vers l'Autriche dont toujours le pire nous était venu ? C'est ce que disait mon père, cette phrase exactement, je ne peux pas l'oublier, parce que ma famille est restée là, et que je suis venu au monde dans ce désastre, pendant que ta famille à toi vivait son quart d'heure américain en paix dans un endroit où je n'aurais jamais les moyens d'aller. Voilà l'histoire. C'est toute l'histoire. Il n'y a pas quarante façons de la raconter. C'est arrivé une seule fois. Le Grand Choc du Monde occidental, le meilleur sujet possible pour les écrivains et les cinéastes, quelle bénédiction pour eux, quelles vacances pour eux, quelle récréation, ne plus jamais, jamais avoir à se poser la question de « est-ce que c'est crédible mon histoire ? » puisque c'est arrivé, maintenant, tout est arrivé, en effet, et ça n'a pas de fin pour nous. C'est là. C'est partout autour de moi. Ce n'est pas moi qui joue avec le temps pour les besoins de ma dramaturgie, c'est la tragédie elle-même qui se joue du temps en étant infinie.

Et alors qu'il pensait à ça, qu'il y pensait jusqu'à en être bouleversé, les Croix Fléchées, la Gestapo dans la rue Fö, le Memento Park avec tous ses monuments communistes déboulonnés exposés dans un champ aux abords de la ville, la mort de Staline, ses orteils de pierre dans des bottes de pierre attaqués au marteau en cinquante-six, à la scie à métaux, à la main, son peuple humilié s'acharnant sur une statue, les façades ravalées, les tanks dans ses rues préférées, quand il pensait à ça, qu'il essayait une fois de plus d'y chercher une réponse recevable, Theodora, elle, se promenait nue devant lui dans l'appartement, somptueuse, invincible, chantonnante, l'ennemie ancestrale qu'il avait laissée pénétrer chez lui dans un moment d'égarement, marchant sur ses tubes de peinture sans les voir, mangeant dans ses assiettes, dormant dans son lit, parfaitement inconsciente de ce qui se tramait au fond de lui, et elle lui disait que son père aussi, autrefois, se promenait tout nu dans leur appartement du Prater, elle le disait alors qu'il n'avait rien demandé, elle ne pensait même pas qu'il puisse désirer ne pas savoir – parce que les vainqueurs, si l'on peut dire, veulent toujours que tout soit su, sans doute – sinon pourquoi des défilés à ciel ouvert, pourquoi des berlines décapotables ?

Je ne suis rien de ce que tu crois, pensait-il sourdement, plié de douleur à l'intérieur. *Je suis Attila Kiss – quoi que ça veuille dire aujourd'hui, c'est ce que je suis. Je te l'ai déjà dit : tu ne me connais pas. Tu ne m'as jamais vu. Tu étais sur la Riviera, petite fille, et tu avais le soleil dans les yeux.*

Lorsqu'il eut découvert le rang qu'elle tenait sur l'échelle de la fortune, il pensa à nouveau savoir tout d'elle. Comme il l'avait réduite auparavant à la musique, il la réduisit cette fois à la densité de sa richesse, et oublia que la vérité ne se répartit pas exclusivement entre la parole et le silence, entre ce qui est dit et ce qui est tu, mais qu'elle occupe d'abord et surtout les territoires immenses et sans nom qui les séparent.

Il traqua sa richesse, avec cruauté, avec méthode, comme un colonel informé du parcours choisi par son ennemi et qui le regarde progresser de loin en direction d'un piège élaboré. Il attendait qu'elle faillisse, qu'elle se révèle, qu'elle trébuche dans cette topographie qu'elle ne connaissait pas parce qu'elle n'y avait pas grandi comme lui, qu'elle n'avait pas été brisée comme lui l'avait été, il attendait qu'elle soit mise en défaite comme au cours de l'histoire plusieurs armées l'avaient été dans des neiges sous-estimées. *Elle croit qu'elle est venue pour l'amour*, pensait-il, *mais elle se trompe. Elle est venue pour jouer avec moi, avec ma tristesse, ma vieillesse, avec mon épuisement, elle est venue se raconter une histoire, comme cette autre jeune*

Autrichienne dans son hameau de Versailles jouant à être une pauvre paysanne. Je ne suis pas un pauvre paysan. Je ne vais rien t'apprendre. Je suis un homme impuissant dans un pays impuissant, et il n'y a aucune fierté à me conquérir. Tu ne m'as pas arraché de haute lutte. Tu as simplement été la dernière à venir me réclamer. Tu es entrée dans mon lit comme tes ancêtres dans mon pays. Tu m'as conquis, comme les tiens toujours ont plié les miens. Dans les plaines, dans les montagnes, dans les rivières, avec des bottes, avec des sacs, avec des armes brillantes et parfois seulement avec des ordres, vous nous avez toujours pliés. Un temps, vous n'avez vécu que pour ça. Mais comme eux, tu te lasseras, quand tu m'auras épuisé. Tôt ou tard, tu partiras en emportant tout avec toi, le jour où je ne serai plus capable de te satisfaire, et alors il ne me restera que la chaleur précaire des poussins pour pleurer. Mais je suis renseigné sur toi à présent, et je te regarde. Je te vois.

Sortie du cercle de la musique, loin de ses repères viennois, elle ne savait rien. Un jour qu'elle devait se rendre à un rendez-vous de travail, il lui avait indiqué le métro le plus proche, et elle était restée muette. *Tu n'as jamais pris le métro ?* avait demandé Attila sans y croire. – *Non. On m'a toujours dit que c'était trop dangereux. Bien sûr que ça peut être dangereux*, avait pensé Attila, *mais nous autres, nous n'avons pas le loisir de penser à ça. Il y a toutes sortes de choses dangereuses auxquelles nous devons nous habituer.* Après un instant de réflexion, Theodora lui avait demandé s'il mettait ou pas ses mains sur les barres métalliques pour se tenir – c'était autre chose qu'on lui avait appris, que les équipements internes des transports en commun étaient infectés de bactéries. Elle n'avait jamais vu ces équipements, mais elle savait qu'ils existaient parce qu'ils lui avaient été décrits par une ou plusieurs personnes bien intentionnées de son entourage qui, elles non plus, ne les avaient jamais vus, en réalité, alors, à présent, elle était curieuse de recueillir enfin un témoignage authentique sur la question. *Bien sûr que je me tiens aux barres métalliques,* avait répondu Attila. *Parce que sinon, comme tout le monde, je me casse la gueule quand le compartiment freine. Et même je les lèche,* il avait ajouté pour voir sa réaction. *Je les serre très fort dans mes mains et je les lèche. Et après, je reviens ici illico et c'est toi que je lèche.* À ce moment-là, dans sa stupéfaction, Theodora avait complètement arrêté de parler. *Alors c'est ça qu'il faut faire,* avait-il pensé. *Pour que tu te taises. C'est tout ce qu'il faut faire. Pourquoi tu l'as pas dit avant. Quelle bénédiction. Ce silence dans ma tête, blanc comme le soleil. Alléluia. S'il suffit de lécher dix centimètres de métal pour que ce bruit s'arrête, le bruit de ta voix d'étrangère comme des chevilles dans mes tempes, mais je vais aller scier une de ces barres et dormir avec.*

Pendant qu'il peignait, l'après-midi, elle allait faire les courses au supermarché et elle revenait les bras chargés d'aliments épars, impossibles à assembler en un plat mangeable, désarticulés, vains. *Ça ne va pas ensemble, tu vois,* lui disait Attila en secouant la tête quand elle lui exposait son butin, et il pensait : *Comme nous, nous n'allons pas ensemble non plus. Ouvre les yeux. Regarde les choses avec lucidité, pour une fois. Tu n'as rien à faire ici. Rentre chez toi. Tu ne vas jamais tenir la distance. C'est trop compliqué. Tu vois, tu t'es déjà lassée des boîtes de conserve – et moi je n'ai mangé que ça ces dix dernières années.* Mais dans ces moments-là, Theo, qui n'avait aucun moyen de comprendre ce qui pouvait le rendre aussi sombre, finissait par hausser les épaules et, dans sa confusion, revenait instinctivement à sa langue maternelle – *es ist egal,* murmurait-elle, résignée, pour signifier ce n'est pas grave, c'est pareil, peu importe, comme elle le faisait aussi quand elle lui proposait une tasse de thé et qu'il l'envoyait balader d'un mouvement de main sans même se détourner de ses pinceaux auxquels il essayait de rester accroché comme Ulysse avec ses cordes et ses sirènes, *es ist egal,* disait-elle alors, et Attila pensait : *Non, non, non, pas du tout, tout est grave, rien n'est pareil, et rien n'est égal. C'est bien de vous, les Autrichiens, d'avoir une expression comme celle-là pour enterrer les situations, prétendre qu'il ne se passe rien, qu'il ne s'est jamais rien passé, comme si les mots suffisaient à effacer la vérité – mais aucun mot ne peut faire ça.*

Il avait envie de la battre. Il avait envie de pleurer. Les choses qu'elle ne savait pas auraient pu remplir un musée. Parce qu'à cause des déplacements liés à la mort de son père elle avait passé les dernières années à vivre dans des hôtels, elle ne savait pas faire la cuisine, alors elle allait dans les épiceries ultra-chics du centre et lui ramenait des petits paquets ficelés, pâtisserie française, huîtres à la douzaine, soupe de fraises, tous inconnus au bataillon prolétaire, brillant par leur absence dans la mémoire d'Attila, et pour ça aussi, il lui en voulait. En dépit de ses échecs répétés, elle retournait faire les courses avec ravissement, avec enthousiasme, et il voyait bien que ça l'amusait simplement parce qu'elle ne l'avait jamais fait vraiment, elle n'avait jamais eu à nourrir une famille, ni personne. La vie qu'il avait vécue et qui était pour lui la seule vie réelle n'était qu'une sorte de jeu pour elle. Acheter, ça, c'était son rayon, acheter tous les rayons, oui, pour ça elle était bonne, pour ça elle était extraordinaire, magistrale, aucune inquiétude à avoir pour ces affaires-là, revenir de la Mariahilfer Straße avec sa voiture remplie jusqu'au ciel de toit de grands sacs cartonnés contenant des vêtements qu'il ne la voyait jamais porter. Il pensait qu'elle était folle, inconséquente, dépensière, ignorant que ces tenues étaient les armures et les casques qu'elle revêtait sciemment pour aller affronter ses rendez-vous professionnels, une ruse minuscule imaginée pour impressionner les vieillards, détourner leur attention de sa jeunesse par une élégance hostile – Attila ne savait rien de tout ça, et il se sentait offensé par cette grande dépense qu'il ne comprenait pas. Même l'acheter, lui, elle en avait été capable, au fond – voilà ce qu'il pensait. *Un jour, ça va lui échapper, au lieu de me dire « quand je t'ai rencontré », elle va dire « quand je t'ai réceptionné », parce que je ne suis qu'un genre de colis pour elle. J'ai bien vu comment elle fait avec les colis – elle en reçoit ici toutes les semaines, des purificateurs d'eau ou des machines à café américaines, elle déchiquette le carton et elle perd les petites pièces détachées, elle joue des heures avec le papier bullé, elle est comme un chaton, elle appuie sur les mauvais boutons et le truc arrête de fonctionner, mais jamais, jamais elle ne lit la notice – alors comment je pourrais penser qu'elle lirait la mienne ? Je ne vais pas commencer à essayer de lui expliquer qui je suis,* pensait-il. *Elle pourrait le savoir depuis le début, si elle m'avait posé la question une seule fois.* Quand il peignait, Theo l'observait d'un œil inquiet et finissait par lui dire qu'un peintre qui peignait très épais comme ça s'était finalement jeté par la fenêtre de son atelier, quelque part dans le sud de la France, des années plus tôt, après avoir peint un piano, et il pensait : *Si je voulais me tuer, j'ai eu un demi-siècle pour le faire, et beaucoup de meilleures raisons. Elle ne comprend rien à rien. Une Viennoise – même si j'avais essayé, je n'aurais pas pu faire pire. Mon Dieu. Que j'en finisse là, le jouet vivant d'une Viennoise de vingt-cinq ans ma cadette, si ma mère avait vu ça, si mon grand-père avait vu ça – c'est dans ces moments-là qu'on est presque heureux qu'ils soient tous morts, pour éviter la honte infinie de nous voir dans l'état où on est tombé, jusqu'à la perte apparente de toute dignité, jusqu'à ma reddition, mon déshonneur. Laisse-moi, Theodora, par pitié. Laisse-moi tranquille. Je ne veux pas être ton nouveau hobby. Tu as sûrement mieux à faire. Tu ne veux pas te remettre au tennis ? Ou au golf ? Mettre un chapeau de fête et aller voir un derby ? Et me foutre la paix ? Tu as été parfaite tout le temps, dans ta catégorie, mais maintenant voudrais-tu bien s'il te plaît aller faire un tour le plus loin, le plus loin possible de moi ?*

Il ne parvenait pas pourtant à cesser tout à fait de l'aimer. Son visage demeurait le visage qu'il avait vu le premier soir, quelque chose en lui refusait obstinément d'oublier le cadeau qu'elle avait été quand elle était arrivée dans sa vie, et il avait beau se dire que tout était impossible à présent, et chercher par toutes sortes de moyens à la repousser, à la blesser, à la vexer, il continuait de lui faire l'amour, comme s'il avait espéré pouvoir enfin épuiser le désir qu'il avait d'elle, atteindre le moment où elle ne serait plus rien pour lui, il lui faisait l'amour dans un grand désespoir, cherchant une issue en vain. Il aurait voulu la voir marquée des signes de sa richesse, de ses origines, comme des médailles ou les traces d'une maladie exotique, mais il n'y avait aucune évidence, c'était toujours la même jeune femme optimiste, surprenante, captivante – il semble que, de la même façon qu'il est impossible de décider de tomber amoureux, il soit impossible de choisir de s'en relever. Il était irrépressiblement attiré, en dépit de toute logique, comme les poussins qu'il tuait ne cessaient de le regarder avec espoir jusqu'au dernier instant. Quand il avait rencontré Theodora, il avait eu peur d'elle et de tout ce qu'elle impliquait, peur de sa force, de son audace, et à présent c'était comme s'il avait enfin trouvé un alibi, c'était presque confortable, il pouvait prétendre que sa première émotion n'avait pas été le vertige inhérent à l'amour, mais une forme de pressentiment atavique, penser que le Hongrois en lui avait reconnu dès le premier instant l'Autrichienne privilégiée qu'elle dissimulait, qu'il n'avait jamais été dupe, mais simplement patient, tenace, stratège, et qu'à présent il l'avait enfin débusquée. *Ce n'était pas de la peur,* pensait-il, *c'était de la colère, les frissons que j'ai eus, c'étaient les poils de mes avant-bras qui se dressaient d'une haine naturelle de la voir devant moi, parce que je savais déjà qu'elle me dirait cela un jour, parce qu'il était impossible qu'une Autrichienne n'ait pas quelque chose d'impardonnable à avouer. Elle m'a bien eu, mais moi aussi je l'ai eue, après tout, et maintenant elle ne se doute de rien, et je vais lui rendre la monnaie de sa pièce, je vais lui dire, au nom de tous les miens, comment nous voyons les Autrichiens.*

Le problème, c'est qu'il faut être au moins deux pour se faire la guerre, et qu'il est extrêmement difficile et épuisant de se battre contre un adversaire qui ignore qu'il en est un. Attila avait la sensation douloureuse de l'attaquer en traître quand il la voyait allongée et paisible sur le lit et qu'il la détestait de toutes ses forces, il n'était plus si sûr d'avoir raison, il y avait une inadéquation entre sa fureur et elle, comme s'il avait essayé de s'emparer d'une émotion avec des tenailles, avec un outil inadapté, sa méthode ne donnait aucun bon résultat. Il avait pensé, peut-être, qu'après s'être dévoilée elle allait aussi montrer des signes indéniables de son arrogance, il se tenait armé jusqu'aux dents pour riposter, mais rien n'avait changé, en réalité. Il la connaissait simplement un peu mieux, il apprenait ses réactions, ses préférences, mais rien de tout ça ne semblait correspondre à ce que pendant des années il avait classé sous le nom d'Autriche. Theodora parlait de musique, mais jamais d'argent, elle lui avait offert des vêtements, et il les aimait, ils étaient à sa taille, ils étaient parfaits, il aurait voulu pouvoir les refuser, les boycotter avec dignité, mais en vérité il adorait l'idée qu'elle ait fait ça pour lui, et les jours de lessive il parvenait à peine à attendre qu'ils soient secs pour les enfiler. Il était complètement désorienté, comme quelqu'un parti pour un raid aérien qui ne reconnaît nulle part la topographie qu'on lui avait décrite et cherche en vain autour de lui dans le paysage la colline qu'il doit viser et détruire. Il s'épuisait dans sa tentative de la haïr, parce que la colère demande une énergie continue, intense, qu'on ne peut fournir que dans l'aveuglement le plus total. Un soir, Theo l'emmena au cinéma Puskin voir *Nem Vénnek Való Vidék – Pas de pays pour les vieux hommes,* traduisit-il en regardant le titre s'afficher sur l'écran, et du sommet isolé de sa paranoïa il pensa : *Y a-t-il un message ? Est-ce que c'est aussi ce que tu penses de moi, que je ne mérite plus d'avoir un pays, parce que je suis vieux ?* Il se sentait épuisé, vulnérable, et sans savoir qu'il recourait à la méthode qu'elle avait mise au point de longue date dans les salles de concert, il pleura toutes les larmes de son corps pendant la projection. Sur la route du retour, sa main dans la sienne, elle lui dit entre autres choses que Llewelyn Moss quand il était blessé faisait le même bruit que lui quand il jouissait – et il se demanda si elle s'écoutait parler parfois – si elle se rendait compte ou pas qu'elle *savait* que le bruit qu'il faisait quand il jouissait dans ses bras était celui d'un homme touché trois ou quatre fois par balle, traqué dans les rues par un maniaque muni d'une bouteille d'air comprimé, et qui allait mourir avant la fin du film.

Au bout d'un moment, il en eut assez de se battre seul dans l'arène. Il voulait qu'elle paye elle aussi le prix de ce qui les séparait, lui faire mordre la poussière crissante de ses plaines, et l'obliger à regarder en face, avec lucidité. Ils étaient en train de faire l'amour en pleine journée quand il lui dit, brusquement, essayant de la prendre par surprise : *Qu'est-ce qui s'est passé, au juste ? – Quoi ?* demanda-t-elle, essoufflée, souriante, une mèche collée au front, sans arrêter de bouger pour autant. Attila répéta : *Qu'est-ce qui s'est passé, entre nos pays ? Pourquoi êtes-vous venus ici ?* Elle ne dit rien suffisamment longtemps pour qu'il puisse penser qu'elle ne savait pas de quoi il parlait, qu'elle n'avait jamais su, mais finalement une voix s'éleva, si grave qu'il mit encore un moment à comprendre qu'elle provenait du petit corps doux et déjà familier qui se tenait solidement assis sur son sexe. *Nous voulions composer un empire,* dit-elle. *Nous voulions unir tous les peuples autour de nous. Vous avez refusé, alors nous avons amené notre impératrice pour vous convaincre. Sissi. Avec son gros chignon et ses dents pourries. Et vous vous êtes laissés séduire.*

Elle dit cela si calmement, si limpidement, Attila ne pouvait pas y croire. *Raconte-moi la suite. – Maintenant ?* demanda-t-elle en désignant d'un même geste vague le lit défait et leurs corps emboîtés, brillants de sueur. – *Maintenant*, répéta Attila. *Il n'y a pas de meilleur moment. Raconte-moi.* – *La guerre*, dit-elle sans ciller. – *Et après ?* – *Encore la guerre.* – *Et après ?* – *L'Europe.* – *Pour vous, l'Europe. Pour nous, la Russie.* – *Oui.* – *Pour vous, la musique*, dit-il, en la tenant par les hanches pour s'enfoncer plus profond en elle, *la musique, le velours, les hôtels, mais pour nous, la mort.* – *Nous avons nos morts aussi*, objecta-t-elle avec raison, mais Attila était lancé. – *Oui, vos morts, mais dépecés comme de la viande, n'est-ce pas ? Les cœurs dans la crypte des cœurs, dans des flacons d'alcool, à l'église des Augustins. Les entrailles dans les catacombes de Saint-Étienne. Les corps dans des tombeaux ornés au fond de la crypte des Capucins. Vos coutumes abjectes, personne ne les oubliera.* – *Il y a longtemps que nous ne faisons plus cela*, répondit-elle très dignement. *Maintenant, nous enterrons les gens en entier. Et nous disons qui ils sont. Quand Zita est morte, j'avais sept ans, mes parents m'ont emmenée à la cérémonie, c'était incroyable de voir ça, le capucin a questionné : « Qui demande à entrer ? » Et le chambellan a répondu : « Sa Majesté Zita, par la grâce de Dieu, impératrice, reine apostolique de Hongrie, reine de Bohême, de Dalmatie, de Croatie, de Slavonie, reine de Jérusalem, archiduchesse d'Autriche, grande-duchesse de Toscane et de Cracovie, duchesse de Lorraine, de Haute-Silésie et Basse-Silésie, de Modène, grande princesse de Transylvanie, margravine de Moravie, grande voïvode de la Voïvodine de Serbie, comtesse-princesse de Habsbourg et du Tyrol, infante d'Espagne, princesse de Portugal et de Parme ». C'était tellement beau, je l'avais appris par cœur à une époque, mais maintenant j'en oublie.*

Theodora avait compris le jeu, elle renvoyait la balle, elle en savait long, elle aussi, mais elle n'avait jamais pensé jusqu'à ce moment que c'était ce dont il avait envie de parler. À cause de la situation, peut-être, ou simplement parce qu'elle avait appris la langue hongroise d'abord en lisant de la poésie en pension, elle utilisait le temps verbal du passé archaïque, littéraire, inadapté, et ses phrases résonnaient avec une émotion accrue dans les oreilles d'Attila, comme un poème épique. *Mais c'est seulement quand nous disons qui ils sont vraiment que les portes s'ouvrent. Quand nous disons : Zita, une personne mortelle et une pécheresse. Et moi aussi je suis une personne mortelle et une pécheresse,* chuchota-t-elle en lui léchant le ventre, retrouvant son grand sourire. Pour la couper dans sa lancée, il dit : *Tu vois bien que ça ne va pas. Personne ne devrait avoir autant de titres, autant de droits sur autant de peuples. – Vous aussi, vous l'aviez couronnée. – Nous étions obligés. Nous vous avions cédé le pouvoir. – Il ne le fallait pas. – Mais nous l'avons fait, nous vous avons crus, et votre héritier, cet hystérique, a fini après des années de recherches effrénées à trouver enfin une pute qui veuille bien se suicider avec lui, à Mayerling, on en aura entendu parler, et votre empereur illégitime du Mexique est mort exécuté, condamné à mort par une cour de justice, au cas où le mot parvienne encore à faire sens à vos oreilles, et votre impératrice est morte assassinée d'un coup de lime sur les berges du lac Léman, et votre archiduc est mort assassiné avec sa femme à Sarajevo, et votre empereur est mort de vieillesse et de fatigue, et au beau milieu de la guerre vous avez donné les rênes de nos destins à un archiduc de vingt-neuf ans qui ne connaissait rien au pouvoir, et à qui il aura fallu seulement deux ans pour détruire l'empire. – Il est mort de froid par dignité, en exil dans la montagne, veillé par son épouse enceinte. – Tu essayes de m'apitoyer ? Après, vous vous êtes associés à l'Allemagne. – Nous parlions la même langue. – Mais c'était eux qui avaient déclenché cette guerre, n'est-ce pas ? Vous avez perdu des vassaux, mais nous, nous avons perdu nos forêts, nos usines, nos voies ferrées, nos canaux, nos terres cultivables, nos mines d'or, d'argent, de mercure, de cuivre et de sel, nos institutions bancaires, à cause des Allemands qui parlaient votre langue. – Mais vous les avez rejoints, vous aussi, ensuite. – Nous étions devenus un pays sans roi. Nous n'avions plus d'accès à la mer. – Vous aviez encore le choix. – Ça, c'est ce que les vainqueurs disent toujours aux vaincus, après.*

Theodora resta silencieuse un long moment, pensive, le dévisageant, et puis elle dit, d'une voix magistrale : *Il n'y a eu ni vainqueurs ni vaincus parce que cette guerre-là, personne ne l'a gagnée. Et je ne suis pas une Habsbourg, Attila. Je suis une Babbenberg, et je t'aime. Débrouille-toi avec ça. Tu m'as dit que tu peignais les choses que tu n'avais pas. Commence par te peindre une paire de couilles.*

C'était cette fille-là qu'il avait rencontrée. Cette fille-là, aucune autre – pas la fille du ténor, ni celle de la millionnaire, pas l'Autrichienne, pas l'héritière – mais la fille qui parlait comme ça, celle qui se tenait droite, regardait les gens en face et parlait d'une voix se déroulant comme un fouet. Elle avait presque perdu son accent à présent, mais pourtant il la reconnaissait, la fille tendue, courageuse, jeune et fatiguée qu'il avait vue le premier jour à la terrasse désertée du Gerlóczy. *Je deviens vieux*, pensa-t-il. *J'oublie tout. J'oublie les choses précieuses.* Soudain, il aurait eu beaucoup de choses à lui dire, mais il n'en eut pas le temps, parce qu'après avoir parlé Theodora sortit du lit toute nue, s'habilla, et partit dans la foulée sans même prendre la peine de claquer la porte.

Deux jours passèrent, pendant lesquels Attila erra dans l'appartement sans parvenir à peindre. Il allait au travail et en revenait, le cœur lourd, incapable de penser à rien. Et puis, le troisième jour, au moment où il sortait du travail tôt le matin, il la vit sur la route devant la fabrique, appuyée contre sa voiture, avec des lunettes de soleil. *Je suis venue te chercher*, dit-elle en l'embrassant. *Tu me montres ton usine ? – Ce n'est pas du tout mon usine,* répondit-il en tremblant, mais il lui donna tout de même une combinaison de protection et lui fit visiter l'endroit où il travaillait, sous les sifflements étouffés de ses collègues. Theo pleura en tenant un poussin dans ses mains, et il se sentit un peu fier, un peu désorienté de la voir à cet endroit, en tenue de travail, au milieu des plumes et de la poussière, légèrement déplacée, mais pourtant toujours souveraine à sa façon, rendant tout plus joli simplement en étant là. Pourtant, quand il monta avec elle dans la voiture pour rentrer à la maison, son enthousiasme retomba. *Tu n'as pas de voiture ?* demanda-t-elle innocemment, une main sur la cuisse d'Attila et l'autre sur le volant. – *Je l'ai vendue*, admit-il. *Pour acheter de la peinture, il y a longtemps. – C'est beau,* dit Theo. *C'est très beau, je trouve, de faire une chose comme ça.* Il ne dit rien, pensant : *Qu'est-ce qui est beau exactement dans le fait de ne pas avoir le choix ? J'aurais bien aimé pouvoir peindre et garder aussi ma voiture. Ne pas avoir à choisir. J'aimerais bien pouvoir pleurer de douceur comme toi en touchant les poussins, ne pas avoir à les tuer pour gagner ma vie – ne rien avoir à faire pour vivre, pour avoir le droit de manger et dormir à l'abri. C'est encore un truc de riches de trouver de la beauté dans les sacrifices les plus triviaux, parce que c'est exotique, tout ça, pour toi. Mais moi je ne trouve aucune consolation dans mon exotisme dont le vrai nom est la pauvreté. La pauvreté, l'impuissance, c'est quand rien n'est exotique parce qu'on ne sort jamais d'un terrain donné où tout est terriblement familier, parce que les dés ont été jetés depuis trop longtemps. La chose la plus extraordinaire que j'ai pu m'offrir, c'était quelques pots de peinture payés avec une épave automobile que j'avais volée dans le plus grand désespoir. Ma pauvreté m'enlève l'émotion, m'arrache le libre arbitre. Ton regard sur moi, il me blesse, comme ton regard sur ma ville me blesse, ton regard émerveillé sur les façades du ghetto juif, tes envies de glace italienne, tous ces moments où je dois me rappeler que la richesse se répartit inégalement, et que c'est en partie parce que nous n'avons rien ici que toi tu as tant eu toute ta vie. C'est vrai, je t'aime, malgré tout, monstrueusement, il n'y a rien à faire, je t'aime beaucoup, terriblement, je te comprends à peine, mais j'ai tout de même compris quelque chose sur toi quand tu as évoqué mes couilles de cette façon-là, je ne m'en suis pas encore remis, tu vois, il semble qu'il n'y a rien que je puisse faire qui change quoi que ce soit au fait que tu es depuis quelque mois ma personne préférée sur cette terre, et alors je suis heureux que tu aies une belle vie, mais j'aurais aimé ça, moi aussi, je crois.*

À part cette unique fois, Theodora restait imperméable à ses attaques, curieuse, apparemment amusée de sa propre perplexité devant l'immensité inconnue d'une vie nouvelle, chutant et se relevant sans cesse, infatigable, patiente, comme si les années passées à affronter la complexité de la musique l'avaient cuirassée, lui avaient appris à ne jamais se décourager. *Tu étais passionnant à observer, avec toutes tes habitudes d'homme adulte. Tu savais faire, tu faisais beaucoup de petites choses pour moi, tu m'as tricoté un bonnet, tu étais toujours là en pleine nuit quand je revenais, et pourtant tu restais très mystérieux, impénétrable, mais petit à petit j'ai commencé à te connaître mieux, et j'ai compris que tu étais en colère, mais je ne savais pas encore pourquoi. J'essayais de faire des choses, moi aussi, mais tu n'étais jamais content, pourtant tu ne m'as pas dit de repartir. C'est comme ça que j'ai su que tu m'aimais. Ça avait l'air incroyablement difficile pour toi d'être avec moi, mais pourtant tu continuais, tu dormais dans mes bras, tu restais sur tes gardes, mais tu étais là. Je ne savais toujours pas très bien qui tu étais, je n'avais parlé de toi à personne parce que je ne savais pas comment raconter ça, c'était arrivé tellement vite, l'instant d'avant j'étais toute seule et soudain tu étais là, tu étais là tous les jours, et j'ai adoré vivre avec toi. Manger avec toi, m'accoupler avec toi, regarder ton dos quand tu peignais, ta façon de choisir tes vêtements, tu étais tellement passionnant. Quelle chance j'ai d'avoir trouvé un homme comme celui-là, je pensais. Quel homme extraordinaire.*

Elle était venue avec ce qu'elle avait, c'était un capitaine solitaire et victorieux, mais pas seulement, c'était aussi la mercenaire avide de ses émotions, et elle n'avait peur de rien. Elle n'essaya même pas de le séduire ou de le convaincre. Elle savait que ce qui était entre eux était trop considérable, et lui trop subtil pour que ça n'ait pas lieu. Elle attendait simplement qu'il tombe – comme un arbre en feu.

La vérité, sans doute, était qu'Attila trouvait presque une forme de réconfort dans le fait de pouvoir la considérer comme une coupable. En la malmenant, en étant injuste, il se consolait de la fragilité de sa propre position. La richesse de Theo lui offrait à lui le rôle de l'oppressé, il disposait au minimum de la supériorité du blessé sur elle, la puissance paradoxale de la victime, puisqu'il n'en avait aucune autre. Elle était plus jeune, plus cultivée, plus vive, plus riche – mon Dieu, elle était même plus *jolie* que lui, si on devait vraiment en arriver là – et puis c'était une femme, ou une fille, peu importait le mot précis, mais dans tous les cas, elle le battait à plate couture, cette petite Autrichienne déliée, lui qui avait été un père, un contrebandier, qui était un homme adulte et un vétéran. Elle était arrivée, et elle l'avait fait descendre les crans, déchoir à genoux. Il ne parvenait plus à retrouver la phrase exacte qu'elle lui avait dite le premier jour et qui l'avait tellement frappé sur le coup, tout s'emmêlait, il ne lui en restait que des bribes – *la mort est une chose sérieuse comme, comme,* il pensait, *non, ce n'est pas la mort mais l'amour qui est une chose sérieuse comme la terre. Il y a une rivalité entre les deux, l'amour et la terre, et c'est là tout le problème. Mon amour pour elle, c'est comme déserter mon pays, c'est coucher avec l'ennemi, c'est trahir ma conscience de classe, c'est accepter de fermer les yeux, de mettre mes mains sur mes oreilles et d'oublier qu'ils nous ont laissés derrière, autrefois, que c'est à cause de leur atavisme, de leur besoin navrant de protéger leur ville muséale, que nous en sommes là. C'est un piège, c'est une tentation, c'est un cheval de Troie, cette femme – quand elle est arrivée, c'était simplement une jeune femme assise en face de moi, et maintenant des régiments entiers surgissent hors de ses entrailles, le flot du passé inoubliable, et elle, elle est née tellement du bon côté qu'elle ne sait pas même qu'il y a des côtés, et qu'invisible ou minée ou marquée par des fils barbelés il y a toujours eu une frontière entre son État et le mien. Est-ce que je dois la pardonner, est-ce que je dois faire abstraction, est-ce que je peux la croire ? Si elle a dit la vérité une seule fois, à son insu, c'était ce jour-là – l'amour est une chose sérieuse comme la terre, sérieuse comme nos plaines vides où souffle un vieux chant de guerre, comme nos plaines sous lesquelles sont enterrées plusieurs strates de cadavres, nos marécages, nos steppes, l'amour remonte le cours du temps, il revient aux origines, il réveille les conflits, déterre les haches, il demande de préciser sa loyauté, de déposer une obole sur son seuil avant d'entrer, on ne reste jamais à un seul niveau du temps, aucune unité de lieu, d'espace, l'amour rappelle qu'il y a des frontières et qu'on ne les franchit pas impunément.*

Le prince du Burgenland

Il est intéressant à l'occasion de se rappeler qu'autrefois les Romains, dans leurs cirques, avaient un faible prononcé pour le spectacle de combats à armes inégales – gladiateurs équipés différemment, filets, boucliers, glaives et tridents, ou animaux étrangers, venus de contrées trop distantes pour se croiser ailleurs que dans l'arène. Il y avait dans tout cela une curiosité étrange de savoir qui, d'un lion d'Afrique ou d'un sanglier européen, aurait le dessus sur l'autre, mais on peut aussi y voir une soif inextinguible de comprendre l'amour. Ce que les Romains désiraient contempler du haut de leurs gradins, c'était ce qui nous échappe toujours au moment où nous le vivons – à quel point le rapport amoureux est d'abord l'expérience confondante de l'intimité partagée avec l'altérité.

Ils vivaient ensemble depuis presque un an le jour d'automne où Theodora se mit à hurler à son tour, et il fut stupéfait. *Pourquoi maintenant ?* se demanda-t-il. *Il n'y aucune raison. Il y a des semaines que je n'ai pas reparlé de l'Autriche. Sa colère vient comme à retardement.* Et ce n'était même pas simplement une colère – Theo était devenue électrique, agressive, violente, elle le repoussait dans le lit, dans son sommeil, elle était irritable, le visage comme assombri, les poings toujours serrés. Il était complètement désorienté. Il l'avait vue être si calme face à ses propres éclats qu'il avait pensé que telle était sa nature – il avait cru avoir exploré intégralement le terrain de sa personnalité, et que la carte qu'il en avait tracée était exacte. Mais en quelques semaines, elle devint une autre personne, une personne qu'il n'aurait jamais pu imaginer auparavant – il s'était inquiété de nombreuses autres choses, mais il n'avait pas pensé qu'elle pourrait en l'espace d'un instant devenir cette force hurlante et torrentielle, c'était comme si elle avait grandi à son insu en l'espace de quelques jours, elle avait pris de l'ampleur, elle était devenue une walkyrie furieuse, incontrôlable, et s'il n'avait pas été aussi surpris il aurait presque eu peur pour sa vie. *Que se passe-t-il ?*

s'interrogeait-il en silence. *Quelle est la source de cette agitation ? Pourquoi, après tant de mois, me montre-t-elle seulement maintenant ce visage-là ?*

Ce qu'il ignorait, c'était que la saison des opéras venait de commencer. Cela signifiait que, pendant quelques semaines, Theodora allait devoir, en sa qualité d'ayant droit et de porte-parole, voyager dans différentes villes du monde pour assister à des soirées d'ouverture où serait représentée l'œuvre de son père.

Quand elle avait commencé à gérer son héritage artistique, et donc à reprendre contact avec la musique qu'il avait composée, Theodora avait traversé des mois tumultueux, difficiles, occupés à classer et comprendre la somme monstrueuse que constituait cette œuvre. Ses premières années d'adulte, elle les avait passées à se battre contre des vieillards pour le compte d'un homme auquel elle en voulait violemment, pour toutes sortes de raisons, vivant en permanence dans cette tension, seule, évoluant d'avions en hôtels, sans repos, sans refuge, folle de rage du matin au soir. Lorsqu'elle avait rencontré Attila, elle avait fait son possible pour taire cette autre face d'elle-même, pour la dissimuler à son regard, estimant que tout cela appartenait au domaine le plus privé de sa vie, un espace ravagé où personne ne devait avoir à l'accompagner. Elle avait tenu bon durant des mois, au prix d'efforts permanents, mais quand la saison commença, ses fragiles barrages craquèrent les uns après les autres sans qu'elle puisse rien y faire. Parce qu'assister aux concerts signifiait devoir s'asseoir parmi ses ennemis jurés et écouter, pendant des heures, la musique sublime de son père, une musique si riche, si touchante, bouleversante, une musique dans laquelle elle seule pouvait détecter la folie. Et cette musique, dans un sens, était plus aboutie qu'elle-même, avait été plus aimée par son père qu'elle ne l'avait été elle-même. C'était déchirant – dans ses rendez-vous, elle parvenait presque toujours à maintenir la conversation au stade de l'argumentation, sans passer par la démonstration, elle déployait des trésors de ruse pour empêcher les directeurs d'opéra de lui passer un des disques de son père au moment de faire leur choix, mais lorsque commençait la saison des soirées d'ouverture, elle était obligée de s'y rendre comme une bête à l'abattoir, sachant d'avance le massacre qui l'attendait derrière les lourdes portes capitonnées des théâtres. Elle était terrifiée, la musique était trop puissante, à chaque fois c'était un rappel du temps que son père y avait consacré à ses dépens, c'était la musique de quelqu'un qui ne sait pas ce qu'est un enfant, qui ne sait pas ce qu'est la vie réelle, ni le temps perdu. Après sa mort, quand elle avait dû passer en revue toutes ses archives, et lire ses partitions comme autant de lettres jamais écrites, elle vit combien tout cela tenait dans un équilibre précaire, aussi génial que limité – à une ou deux notes près, cela aurait été désastreux, risible, mais il semblait que son père ait suivi un instinct plus fort que lui qui le menait miraculeusement en sécurité du bon côté de la ligne. De la musique parfaite inventée par un idiot, un idiot qui n'était touchant que quand il chantait, et qui dans le civil était juste une brute, mais les brutes sont parfois capables de grandes choses, comme l'a maintes fois démontré l'Histoire, et tout le ressentiment de Theodora ne faisait pas le poids face à sa connaissance profonde de l'opéra. Cramponnée à son fauteuil, où qu'elle soit, dès les premières notes elle était vaincue, jetée à terre, piétinée par les mouvements merveilleux inventés par son père, elle ne pouvait pas lutter, elle devait faire face, très douloureusement, à l'artiste supérieur qu'il avait été, et qui, d'une façon ou d'une autre, surpassait et effaçait l'être épouvantable qu'elle avait fréquenté intimement. À Attila, jusque-là, elle avait parlé de l'opéra seulement comme d'un travail, une charge qui lui était revenue en tant que fille unique, un sacerdoce pesant, dévastateur, mais elle n'avait rien dit de sa passion d'esthète qui rendait tout plus compliqué. Quand son père agonisait à l'hôpital, inconscient, elle l'avait invectivé désespérément, demandant dans le vide de la chambre : *Est-ce que ça en valait la peine, vraiment ? Est-ce que la musique valait ça, traiter un enfant comme un adulte parce que c'est moins fatigant, moins perturbant, est-ce que la beauté de la musique valait toutes les absences, est-ce qu'on n'est pas supposé faire un choix entre la postérité et la descendance, quand on est un génie comme les journaux disent que tu en es un à présent que tu es mourant ?* Mais à présent qu'elle était devenue malgré elle la plus grande spécialiste de son travail, elle était incapable de répondre à ces questions. Elle aurait voulu découvrir des failles, retrouver les défauts humains de son père dans ses compositions, avoir encore un objet pour sa colère, mais il n'y avait rien, toutes les mauvaises choses semblaient avoir été lavées dans la musique, purifiées, et quand les premières notes commençaient, Theodora était aussi vulnérable que tous les autres spectateurs, ses oreilles n'avaient pas de cœur ni de mémoire, elles se soumettaient lâchement, elles pliaient devant la virtuosité de son père. C'était chaque fois une torture, à la fin de l'été, de savoir que ça allait arriver, qu'il n'y avait aucun moyen de l'éviter, que quoi qu'elle fasse, durant trois semaines, elle allait devoir vivre comme la prêtresse du temple du désamour de son père. Évoquer son souvenir, écouter sa voix enregistrée de chanteur qui était quand même sa voix, regarder des salles entières se lever, les yeux embués d'émotion, pour applaudir debout un homme qu'elle méprisait autant qu'il l'avait méprisée, et soutenir l'affront de sa musique extraordinaire, sans disposer d'aucun droit de réponse, à moins de se rendre de nuit au Wiener Zentralfriedhof avec une pelle et d'insulter son cadavre. C'était un cauchemar et, parce qu'elle ignorait comment le formuler devant Attila, un matin elle partit prendre l'avion pour Sydney sans qu'ils aient eu le temps de parler de quoi que ce soit.

Elle s'effondra littéralement, quand elle revint de sa tournée. Elle se coucha tout habillée et ne sortit pas du lit pendant une semaine. Attila la contemplait avec inquiétude, en se demandant qui était cette nouvelle fille qui s'était substituée à Theodora durant le voyage. Et puis, un matin, elle se mit à parler. Pour la première fois de sa vie, elle posa des mots comme on jette des poignées de terre sur un cercueil, elle parla à Attila sans s'arrêter, lovée dans ses bras, gracile, épuisée, elle pleura beaucoup, frissonnante et enveloppée dans son manteau de fourrure qui lui donnait plus que tout l'apparence d'un animal blessé. *Je me suis trompé*, pensa-t-il. *Ce n'est pas son père qu'elle défend – ce n'est même pas la musique, au fond, c'est quelque chose de beaucoup plus subtil, c'est son honneur.* Il remonta le ruisseau de ses larmes jusqu'à la source, et il vit, enfin, l'enfant offensée et malheureuse qui se cachait sous la guerrière, il comprit sa soif démesurée d'amour, ses réflexes de protection, sa fureur, sa tristesse jamais consolée, son attirance pour les choses les plus quotidiennes, son enjouement inébranlable, il recolla tous les morceaux jusqu'à arriver au panorama qui lui avait échappé depuis le début, le territoire immense qui était elle, avec ses chutes d'eau, ses glaciers, ses jeunes montagnes, ses vallées.

Ou alors, c'était comme un inventaire, comme de se trouver seul dans un entrepôt circulaire de quinze mètres de haut et cinq cents mètres de périmètre, entouré d'étagères colossales couvertes de boîtes s'ouvrant sur ses gestes, ou ses mots préférés, ses mensurations, des boucles de ses cheveux, les choses qu'elle faisait lorsqu'elle était sûre que personne ne la voyait – casiers pleins de ses rires, bouteilles de sueur, dossiers de ses hauts faits. Tout ce qu'il savait d'elle prenant sens d'un coup – illuminé. Lorsque nous rencontrons quelqu'un, et que nous tentons de lui résumer les années vécues auparavant afin d'expliquer qui nous sommes, ce que nous disons aboutit toujours à une construction, une fable, une histoire – mais, comme toutes les histoires, notre récit n'atteint sa pleine ampleur que lorsqu'il est lu par le bon lecteur. Ce jour-là, Attila la vit pour la première fois en entier, et il tomba amoureux du tout comme il était tombé amoureux de chaque morceau égaré. Il acheva le livre de Theodora.

Mais elle, qui était arrivée dans sa vie les yeux fermés, fébrile, guidée par son seul instinct, avait encore quelques chapitres à lire.

Dans les premiers jours d'octobre, Jörg Haider, le président-fondateur de l'Alliance pour l'avenir de l'Autriche, anciennement à la tête du Parti autrichien de la liberté, mourut dans un accident de voiture en rentrant d'une boîte de nuit du Land de Carinthie dont il était gouverneur. Par un hasard intensément romanesque bien que peu significatif, le véhicule dans lequel il perdit la vie, une Volkswagen Phaeton, portait le nom du fils du dieu grec Hélios, qui, selon la légende, aurait piégé son père afin d'emprunter son char solaire et prouver de façon indiscutable sa glorieuse ascendance à ses camarades jaloux – mais Phaeton, inexpérimenté, se serait révélé incapable de maintenir l'altitude divine du char paternel, et, après avoir brûlé le ciel – la Voie lactée –, puis enflammé les montagnes et tari les fleuves en volant trop bas, aurait finalement été foudroyé par Zeus Sauveur. *Bien fait pour ce fils de pute,* dit Attila en lisant le journal. – *Il faut que je téléphone à ma mère,* dit Theo par-dessus son épaule. – *Quel rapport avec ta mère ?* – *Jörg. C'était un ami de la famille. – Un ami de la famille ? – Oui. Mon père l'avait rencontré quelque part, une ambassade ou un bal. – Un bal ?– Il y a beaucoup de bals à Vienne. Le bal des chasseurs, le bal des sous-officiers, le bal de la Fédération, tout ça. Mon père allait partout où il y avait de la musique. – Mais entre la musique et les nazis, ce sont les nazis qui prévalent, non ?* demanda Attila. *Et que ton père l'ait rencontré, c'est une chose, mais qu'il soit devenu un ami de la famille, c'en est une autre. – Vienne est une petite ville. Tout le monde se connaît, dans le milieu. – Arrête avec tes histoires de milieu. Enfin, on ne peut pas être ami avec un responsable politique ! C'est ce truc complètement con de la démocratie, ce truc de penser que la démocratie est un système achevé, réussi, qu'on est arrivé au bout de la réflexion à la meilleure option possible, alors que tout ce que ça change, c'est qu'on peut voter pour qui nous dirige, mais à la fin on est toujours dirigés. Qu'un homme souhaite contrôler un État, je ne le comprends pas. Qu'on envisage cette position, qu'on veuille s'y trouver, qu'on l'appelle de ses vœux. Que l'idée passe par la tête d'un être humain de diriger les autres, de leur fixer des lois, de passer ses journées à les administrer, je ne comprends pas. Je suis sûrement stupide. Mais enfin, Jörg Haider, mon Dieu, Theo ! Un ami de la famille ! – Mais vous, vous avez élu Viktor Orbán. – Nous n'aurions pas Orbán si vous n'aviez pas plébiscité Haider, et tu le sais très bien. Et vous lui faites des funérailles nationales ! Un cercueil de roses, un requiem pour un nationaliste ! C'est comme si vous n'aviez rien compris. Vous avez déclenché la première guerre pour une affaire de peuples, ce qui a entraîné la deuxième, toujours pour une affaire de peuples, et vous continuez à penser que c'était une bonne idée. – Mais vous aussi. – Nous, nous avons tout perdu !* explosa Attila. *Nous étions faibles et égarés, parents pauvres de l'Europe, et quand il a été question de découper le gâteau, personne ne nous a demandé notre avis. Quand notre délégation s'est rendue à Paris pour les pourparlers, nos représentants ont été enfermés comme des criminels. Vous vous êtes organisés entre vous comme si nous n'existions pas, et vous nous avez enlevé ce qui nous appartenait. – Ce sont les Américains qui ont fait ça,* objecta Theo.

Tu réécris l'histoire et tu le sais très bien. – Tout le monde réécrit l'histoire. L'histoire, c'est la réécriture. Et c'est le seul recours que nous ayons à présent que notre pays n'est plus que le fantôme d'un pays. Même vous, parce que vous étiez occidentaux, à la fin, vous en avez eu un morceau ! – Oui, concéda Theo, *mais tu parles d'un morceau, c'était le Burgenland. Enfin, Attila, nous nous moquons du Burgenland. Ce sont des ploucs. Et c'était le droit des peuples à disposer d'eux-mêmes. Il y a eu un plébiscite. – Cette année-là, tous les peuples ont pu disposer d'eux-mêmes, sauf nous. Nous avons été éparpillés partout, comme des débris de schrapnel. L'Europe, après, elle s'est dessinée et construite sur notre cadavre. – C'est ça, ton problème ?* demanda soudain Theodora. *C'est le Burgenland ? Tu m'en veux comme ça pour le Burgenland ?*

Et dès qu'elle l'eût dit, il sut qu'elle avait touché juste. Oui, à la fin, si on allait au bout des choses, si on précisait jusqu'à l'os, jusqu'à la douleur, il lui en voulait pour le Burgenland arraché à son territoire pour être recousu au sien sans bonne raison valable. Il lui en voulait pour cet affront inexplicable, une portion de terre prise à un coupable pour être offerte au plus grand coupable. Oui, dirent ses yeux hébétés. Oui. Pour le Burgenland.

Theodora était déchaînée. *C'est tellement risible, je ne peux pas y croire. Tu m'en veux pour quatre mille kilomètres carrés de plat venteux situé en Pannonie, avec un climat annuel moyen de huit degrés et des trombes d'eau ? Mon Dieu, Attila, je ne possède même pas un château au Burgenland ! Tu ne vois pas ? C'est toujours la même chose, nos pays unis ou désunis se sont déchirés pour des territoires absurdes, des surfaces de terre froide, sans intérêt aucun. Qui s'en soucie ? Depuis des siècles, nous avons combattu ensemble, et nous avons perdu ensemble. Peu importe qui avait commencé, à la fin. Il n'y a pas de logique, et il n'y a pas de justice. Aujourd'hui, ton pays est tout de même plus grand que le mien, Burgenland ou pas. Viens,* dit-elle en se levant d'un coup. *Allons au Burgenland. Tu vas voir. – Je ne peux pas,* répondit-il durement. *Je dois aller travailler ce soir. Tu te rappelles ? – Mais j'en ai assez de tes trucs,* cria Theo. *Cette guerre que tu me fais, elle est déloyale comme toutes les autres guerres. Au bout d'un moment, tu sais, il y a une seule décision intelligente à prendre quand on vit avec une femme riche – c'est d'arrêter de travailler. – Mais c'est mon travail,* protesta-t-il. *C'est ce que je fais. – Tu sais ce que c'est, ton travail ? C'est préparer les amuse-gueules des repas de fête des riches que tu détestes. Tu es sûr de vouloir continuer à faire ça ? Tu penses qu'ils mangeaient quoi, quand ils se retrouvaient dans les buffets des bals, Jörg Haider et mon père ? C'est ça, ta façon d'être en colère, c'est nourrir tes ennemis ? Tu crois encore que le travail rend libre ?* Elle cria et cria et finalement, sans qu'Attila sache vraiment comment, ils se retrouvèrent tous les deux dans sa voiture, en direction du Burgenland.

Pendant toute la route, il ne décrocha pas un mot. Les panneaux se succédèrent, Balatonfőkajár, Veszprèm, Jánosháza, Szombathely, Neuberg, et c'était presque exactement la route inverse de celle qu'il avait empruntée onze ans plus tôt lors de son exil dans la Puszta, et il n'avait toujours pas desserré les mâchoires lorsqu'ils passèrent la frontière. Finalement, Theodora arrêta la voiture dans la campagne, elle fit le tour du véhicule pour ouvrir la porte passager, et il fut bien obligé de sortir et de regarder. *Tu as dit n'importe quoi,* murmura-t-il. *C'est très beau, cet endroit.* Ils avaient roulé pendant plus de trois heures, et le soleil se couchait juste sur la campagne, embrasant les vignobles et les arbres. *Ce n'est même pas si plat. Je vois des collines au loin. – D'accord,* dit Theo. *D'accord. Ce n'est pas si mal. On pourra y revenir quand tu veux, mais est-ce qu'on peut au moins arrêter d'en parler ? Je suis désolée qu'on vous ait pris ce truc, cela dit, dans la mesure où tout le monde s'en fout, on peut dire que c'est à toi, si tu veux. Tu peux être le prince secret du Burgenland. – D'accord,* murmura Attila. Il jeta un dernier regard à sa terre promise, retrouvée, dorée sous le soleil d'automne, et ils reprirent la route du retour.

Après, à Budapest, il fallut encore argumenter et le convaincre, mais finalement Attila quitta son travail et la routine des allers-retours à l'usine pour rester à la maison à faire sa peinture et la cuisine. À partir de ce moment, imperceptiblement, les choses changèrent, comme s'ils avaient enfin trouvé un équilibre, un endroit où se poser ensemble. *Tu crois que c'était ça que tu voulais, depuis le début ?* demandait Theo pour le taquiner. *Devenir un peintre-homme-au-foyer ? Il suffisait de le dire.* Mais ce qu'il avait voulu, en réalité, et ils le savaient tous les deux à présent, ce n'était pas exactement ça – non pas être arrosé d'or, ni relevé de ses tâches, mais simplement la voir faire ce mouvement de déposer son butin séculaire devant lui, qu'elle prouve par un geste qu'elle n'y attachait aucune importance, comme elle l'avait fait déjà, exactement, avec le Burgenland. Dans le lit, avant qu'il éteigne la lumière, elle lui tendait ses boucles d'oreilles et il les regardait un instant, dans sa main en coupe, lourdes, rutilantes, comme les ornements de classe dont elle se défaisait pour coucher avec lui.

Il avait presque complètement cessé d'avoir peur, et alors, comme pour éprouver les contours de sa propre confiance, un soir, il raconta pour la première fois à Theodora l'histoire détaillée de son mariage naufragé, son effondrement, et son départ dans la Puszta, sans voir dans quoi exactement il venait de s'engager. *Trois filles ?* cria Theodora en lui tapant sur la tête du plat de la main quand il eut fini. *Tu as trois filles à peine plus jeunes que moi ? Tu m'as agressée pour des conneries historiques, et tu as trois filles qui ignorent où tu te trouves ? Mais quel imbécile ! Ta peinture, tes poussins, ta conscience de classe, ta foutue plaine, et venir me chercher sur des histoires de pays et d'argent, alors que tu as trois filles dont tu ne m'as jamais parlé ! Mais qu'est-ce qui ne va pas, chez toi ? Tu m'écoutes depuis tout ce temps te parler de mon père, mais ça ne te passe pas par la tête de me dire que tu en es un toi aussi ? Tu crois que l'excès de richesse est plus grave, plus tragique, plus condamnable que d'abandonner ses enfants ? J'espère que tu as honte de toi. Tu m'as fait croire que tu avais mal parce que j'ai hérité d'une fortune dont je me fous, tu m'as fait croire que tout était de ma faute, et je t'ai cru, et tu le crois toi-même, même si maintenant tu manges dans la main que tu mordais, mais la vérité c'est ce que tu as trois filles que tu n'arrives pas à oublier parce que c'est impossible d'oublier une chose comme celle-là. Quel abruti. Quel vieil abruti tu es, Attila Kiss.* Elle cria longtemps et il la laissa faire, parce qu'une partie de lui avait toujours voulu ça, avait toujours su en réalité que ça arriverait – qu'un jour une femme, ex-épouse, ex-maîtresse, ou fille devenue grande et s'étant entraînée au combat des nuits et des nuits en secret pour l'affronter, viendrait déverser sur lui cette pluie d'injures méritées qu'au fond il désirait par-dessus tout. Et plus Theodora criait, plus il se sentait bien, paradoxalement, comme si l'équilibre de la justice était enfin revenu sur la terre.

Mais Theodora n'avait pas fini, elle n'avait même pas encore commencé. Dans les semaines qui suivirent, il ne sut jamais exactement comment elle s'y était prise, mais elle retrouva la piste d'Irisz, qui travaillait désormais dans un restaurant de poissons d'eau douce à Buda, et elle parvint à lui expliquer ce que lui-même aurait été incapable d'expliquer à qui que ce soit, et deux de ses filles acceptèrent de le revoir.

Finalement, le jour venu, elles étaient là toutes les trois, ses enfants retrouvées, miraculeuses, assises en face de lui dans un café, Csilla, Eszter, Tessza, un peu sur la défensive, faisant front ensemble, comme un tribunal, mais vivantes, saines et sauves, ses petites filles qu'il n'avait pas vues depuis douze ans. Avant de commencer à parler, parce qu'à présent il savait qu'il lui faudrait parler, que le pardon et la paix dépendraient intensément des mots qu'il saurait trouver, il les regarda longtemps, chacune à son tour, puis son regard se posa sur Theodora qui était là aussi, à côté de lui, et il pensa : *C'est elle qui a fait ça, et elle seule. Elle est venue, elle m'a conquis, petit à petit, centimètre par centimètre, elle a gravi mes montagnes, traversé mes fleuves, franchi mes ponts, convaincu mes interprètes, plié mes espions, déjoué mes pièges, trompé ma vigilance, et elle a gagné ma guerre. Je savais qu'elle viendrait, au fond, peut-être – j'ignorais simplement l'apparence que prendrait son visage. Elle a bien fait d'arriver sans prévenir, parce que je ne me serais pas déplacé si on m'avait annoncé ça, je ne l'aurais pas cru – que ma moitié venait de là, qu'en apparence elle n'aurait pas un signe commun avec moi, qu'en toutes choses nous différerions, sauf pour ce qui se passe à l'intérieur, dessous, derrière son petit menton sur lequel on a appuyé des violons de force.*

Il se sentait comme un soldat débutant tombé dans un piège de feuilles et qui découvre seulement alors combien la terre est douce sous ses épaules, et s'endort en regardant le ciel. C'est alors que, dans les derniers jours d'octobre, alors qu'ils marchaient ensemble sur le boulevard Andrássy en se tenant la main, ils croisèrent par hasard un de ces puissants vieillards de théâtre avec lesquels Theo travaillait, et qui s'arrêta net en arrivant à leur hauteur. *Ça alors, mademoiselle Babbenberg, quelle surprise de vous voir ici, je vous pensais à Vienne, comment allez-vous ?* Pendant que Theodora lui parlait, Attila vit le vieux le regarder du coin de ses yeux cataractés, faisant des mouvements de cou comme un oiseau pour essayer de le distinguer dans la lumière éblouissante de midi. *Il est en train de calculer,* pensa immédiatement Attila. *Il a vu que j'étais plus jeune que lui, mais même avec ses yeux à demi aveugles il peut voir que je suis tout de même plus vieux qu'elle, et dans moins d'une seconde il va dire la seule chose à dire, et elle aussi va dire la seule chose qu'elle puisse dire, et je vais être blessé. Il va lui demander qui je suis, et au moment de le lui annoncer, elle va s'apercevoir qu'elle ne peut pas donner la main à quelqu'un de mon genre, qu'elle ne peut pas être avec quelqu'un de mon rang.*

Lui, il est hongrois comme moi, mais il ne m'a jamais vu avant et donc il sait que ça signifie forcément que je ne suis personne dans le monde sur lequel il règne avec quelques autres, et même moi je ne peux pas bien lui expliquer ce que je fais ici, par quel accident il se trouve que je marche dans la rue à côté de cette jeune femme brillante qu'il connaît depuis qu'elle est enfant. Comment ai-je pu ne pas y penser avant – ces vieux hommes avec lesquels elle passe son temps, ils l'ont sans doute tous promise dans leur tête, avant même qu'elle soit née, à des jeunes gens aussi riches et puissants qu'elle, comme ça se fait dans toutes les dynasties, y compris celles de la musique, sûrement, et me voici à présent devant lui, rien de plus qu'un époux morganatique qu'il n'hésitera pas à écraser d'un coup de talon. Il a l'air fragile, et vieux, comme une chauve-souris, mais en réalité c'est un représentant de tous les autres, et il sait que je le sais, et il ne va pas hésiter à me renvoyer d'où je viens. Attila se tenait là, incapable de bouger, désespéré, résigné déjà, attendant simplement que les mots soient prononcés pour pouvoir reculer dans l'obscurité et disparaître. C'était la première fois en un an qu'ils rencontraient ensemble une connaissance de Theodora, et il ne se faisait pas d'illusion. *Jusqu'ici, je suis passé à travers les balles, miraculeusement, mais à présent il n'y aucune chance. Nous avons eu une belle année ensemble, mais c'était une escapade pour elle, et il va la ramener à la raison, parce que c'est son rôle. Nous étions incognito, et maintenant nous sommes découverts. Il va me la prendre, d'une façon ou d'une autre, il va me la prendre un instant seulement, mais elle ne sera plus jamais à moi après ça.* À force de paniquer, il avait perdu le fil de la conversation, et ne revint à lui que lorsqu'il entendit Theo prononcer son nom. *Et voilà Attila Kiss*, dit-elle, en passant un bras autour de sa taille, tandis que le vieillard demandait, plein de ruse : *Monsieur Kiss, enchanté, très bien, et vous êtes ? – Attila a szerelmem,* répondit Theo de sa voix sans merci. (Attila est celui que j'aime.)

Et alors l'espace d'un instant Attila se sentit très proche du vieux qui, comme lui, venait brusquement de cesser de respirer. *Mon Dieu,* pensa Attila, *quelle fille, n'est-ce pas ? Tu n'y aurais pas cru, et moi non plus je n'y aurais pas cru, et je n'y crois toujours pas, mais enfin elle l'a dit.* Et de fait, le vieux en chancelait presque, et il les quitta aussi vite qu'il aurait couru hors d'un immeuble en flammes, choqué, peut-être, ou simplement conscient du caractère déplacé de sa présence tandis qu'Attila, quelque part dans la fraîcheur de l'automne de ses cinquante-deux ans, la main dans celle de la jeune femme qui l'aimait la tête haute, déposait les armes pour la première fois de sa vie.

Ce soir-là, allongé dans ses bras alors qu'elle dormait si profondément qu'il se sentait gagné par la force de ce sommeil, il pensa : *Ce n'était pas censé arriver. Ce n'était pas écrit. Il nous a fallu des années et des kilomètres pour nous rejoindre et nous comprendre – mais placés dans un lit nos corps retrouvent d'eux-mêmes le chemin, et nous dormons, elle et moi, dans nos pyjamas identiques, achetés dans des boutiques distinctes dans des pays distincts à des dates distinctes, mais identiques, nous dormons comme deux animaux d'une même espèce dont nous serions les uniques représentants. Tu es mon dernier amour, Theodora Babbenberg,* murmura-t-il en s'endormant, ignorant la mort qui le frapperait dans un futur de huit années heureuses, d'une attaque foudroyante, dans ce lit, dans ses bras, et l'élégie minuscule qu'elle devrait alors prononcer debout, seule avec le fossoyeur devant sa tombe ouverte.

Notes

La phrase citée en page 49 est tirée du poème *Tourist Death* d'Archibald MacLeish.

Ce texte est une œuvre romanesque : les éléments historiques réels qui y sont évoqués sont décrits de façon subjective, dans le but d'exposer les états d'esprit respectifs des personnages.

Les différents membres de la famille Habsbourg dont il est fait mention sont François-Joseph Ier d'Autriche, Élisabeth en Bavière, Rodolphe d'Autriche, Maximilien Ier, Charles Ier, Zita de Bourbon-Parme, François-Ferdinand d'Autriche.

Le 30 janvier 1889, l'archiduc héritier d'Autriche Rodolphe s'est suicidé avec sa maîtresse Marie Vetsera dans le pavillon de chasse de Mayerling.

L'Empire austro-hongrois a été constitué suite au compromis de 1867, et a été disloqué à la fin de la Première Guerre mondiale en 1918.

En 1920, la signature du traité de paix du Trianon ampute le royaume de Hongrie de la Transylvanie, la Croatie, le Banat, la Haute-Hongrie et le Burgenland. Les arbitrages de Vienne, entre 1938 et 1940, permettent à la Hongrie de récupérer une partie des territoires perdus (Basse-Slovaquie, Ruthénie subcarpathique, Transylvanie du nord et Bácska), mais les frontières de 1920 seront finalement ré-officialisées par le traité de Paris en 1947, et même réduites avec de nouvelles pertes territoriales pour la Hongrie.

Les arias *Umsonst sucht'ich*, *In fernem Land* et *Winterstürm* appartiennent respectivement aux opéras *Das Rheingold*, *Lohengrin* et *Die Walküre*, tous trois œuvres de Richard Wagner ; de même que *Rienzi*, *Siegfried*, *Parsifal*, *Tannhäuser*, *Tristan und Isolde*, également cités. Les opéras *Salome*, *Elektra*, *Ariadne auf Naxos*, *Die ägyptische Helena*, *Daphné* et *Die Frau ohne Schatten* ont été composés par Richard Strauss. *Die tote Stadt* est une œuvre d'Erich Korngold, et *Fidelio* est l'unique opéra composé par Ludwig van Beethoven.

L'auteur remercie sa famille, l'équipe du Rouergue,
Denis Westhoff, Ahmed Guenaoui, Emmanuelle Richard,
Mathieu Fraissinet, Julien Alcacer, Jules Espiau, Astrid Guillon,
Mélanie Benoit, Marie Tirmont, Mathieu Larnaudie,
Marietta Papp, Marion Le Nevet, Romain Lallement,
Hélène Gaudy, Sylvain Pattieu, Pierre Leroy, Julia Vincent.

Ouvrage réalisé par Cédric Cailhol Infographiste

Achevé d'imprimer en novembre 2015
par l'Imprimerie France Quercy à Mercuès.

Dépôt légal : janvier 2016
N° d'impression : 51183/

ISBN : 978-2-8126-0990-9

Imprimé en France